MÉTAMORPHOSES
DU ROMAN

DU MÊME AUTEUR

Aux Éditions Albin Michel.

Saint-Exupéry.
Le Livre du silence, roman.
L'Odyssée d'André Gide.
Les Hommes traqués (Pirandello, Huxley, Julien Green, Graham Greene, Albert Camus).
L'Autre Planète, récits.
L'Aventure intellectuelle du XXe siècle.
Histoire du roman moderne.
Le Roman d'aujourd'hui, 1960-1970.

Chez d'autres éditeurs.

Portrait de notre héros *(Le Portulan).*
La Révolte des écrivains d'aujourd'hui, Prix Sainte-Beuve 1949 *(Buchet-Chastel).*
Velléda, roman *(Flammarion).*
Jean-Paul Sartre *(Éditions Universitaires).*
Gérard de Nerval *(Éditions Universitaires).*
Bilan littéraire du XXe siècle *(Nizet).*
Esthétique et Morale chez Jean Giraudoux *(Nizet).*
La Genèse du « Siegfried » de Giraudoux *(Minard).*
Miguel de Unamuno *(Éditions Universitaires).*
Kafka, en coll. avec Pierre de Boisdeffre *(Éditions Universitaires).*
Argentine, un monde, une ville *(Hachette).*
Michel Butor *(Éditions Universitaires).*
Manuscrit enterré dans le jardin d'Éden *(Éd. du Panorama,* Bienne).

R. M. ALBÉRÈS

MÉTAMORPHOSES
DU ROMAN

Nouvelle édition

ÉDITIONS ALBIN MICHEL
22, RUE HUYGHENS
PARIS

à Pierre de Boisdeffre

MÉTAMORPHOSES DU ROMAN

Dans l'aventure du genre romanesque, nous assistons depuis 1920 à des mutations aussi spectaculaires que celles de la vie organique au Tertiaire et au Quaternaire. Témoins de cette évolution, nous pouvons et nous devons observer la variété des espèces vivantes et survivantes, la prolifération des créations nouvelles, dont un grand nombre seront avortées.

Nous voici dans ce charnier où cohabitent reptiles, oiseaux et premiers mammifères. Nos goûts personnels comptent peu; on peut aimer le bon roman psychologique et sociologique de la tradition, on peut aimer le roman fait d'une psychologie cruelle, celui qui est une œuvre littéraire et léchée, un bon pastiche du xviiie siècle. On peut aimer aussi le roman qui est un reportage romancé et nous renseigne sur la Chine ou le Burundi, sur telle guerre en cours dans le monde ou sur tel problème social. On peut chercher aussi dans l'œuvre romanesque la sophistication d'un rébus intellectuel ou psychanalytique. Peu importe. Car à moins de se réfugier dans ses goûts personnels, et de s'en tenir à un certain type de romans — ce qui est parfaitement admissible —, l'homme qui actuellement lit quinze romans parus dans l'année ne peut éviter la confrontation que notre temps lui propose.

C'est à son intention que je livre ici quelques
séquences d'images, d'idées et de réflexions qui
m'ont semblé significatives : un film, et une sorte
de montage où se succèdent les épisodes frappants
et signifiants des mutations du roman entre 1920
et nos jours. Ce film a sa valeur d'information et
d'initiation. Il ne prétend pas à l'étude exhaustive,
et ces *Métamorphoses du roman* ne constituent pas
une *Histoire* du roman nouveau au xxe siècle.
Cette Histoire, en trois épais volumes, ne pourrait
être écrite que par un jeune journaliste ambitieux
ou par un très vieil universitaire. Ayant été l'un
et devant devenir l'autre, je préfère passer entre
les deux...

*
* *

Y a-t-il eu une révolution romanesque qui soit
devenue plus sensible depuis une vingtaine d'années,
même à travers des formes excessives? Nous sommes
obligés de répondre « oui », et d'avouer qu'un ana-
lyste du roman ne peut plus avoir la même optique
en 1971 qu'en 1950. En 1950, nourris de Mauriac,
de Julien Green, de Bernanos, de Malraux, de Saint-
Exupéry, et aussi de Camus et de Sartre, nous prê-
tions attention, dans le roman, à son *contenu signi-
fiant*. Le roman « tragique » exprimait alors pour
nous la « condition humaine », et tout s'ordonnait
dans cette perspective moraliste où un Proust et
un Joyce apparaissaient comme des esthètes aber-
rants.

Au phénomène un peu artificiel appelé « nouveau
roman » dans la France de 1954 à nos jours, nous
devons sinon des chefs-d'œuvre, du moins l'impres-

sion et la conviction qu'une nouvelle tendance romanesque s'est manifestée, qui se soucie moins du
contenu du roman que de sa forme, de son écriture,
de son optique. Nous tenions en 1950 le roman pour
l'expression d'une métaphysique et d'une morale.
Nous devons le voir en 1971 comme la formulation
d'une manière de sentir et de décrire, comme une
esthétique et une phénoménologie, et non plus
comme une morale et un débat moral. La raison
en est simple et évidente : ces moralistes qu'étaient
Gide, Malraux, Bernanos, Sartre, Camus n'ont pas
eu de successeurs. Nous nous battrions les flancs à
leur chercher des épigones. Il faut admettre en
toute honnêteté que leur époque est passée. Ces
écrivains moralistes sont déjà devenus des « classiques », comme Corneille. Et lorsque nous lisons
des œuvres d'aujourd'hui, il faut bien nous rendre
compte que l'on n'y cherche plus à étudier la condition humaine, mais à mettre en question les images
que l'homme se fait de lui-même. Entre 1935 et nos
jours, le roman est passé de l'interrogation psychologique, sociale, morale et métaphysique à l'interrogation esthétique, onirique, phénoménologique. C'est
un fait historique, puisque les romans d'aujourd'hui
posent des problèmes d'optique et d'esthétique, et
non plus des problèmes de métaphysique et de
morale.

Dans cette perspective, si l'on songe aux précur-
seurs, Joyce devient plus important que Gide, Proust
est plus intéressant que Bernanos et Lawrence Durrell a plus d'intérêt qu'Albert Camus. Telle est
l'optique qui nous est imposée par notre temps, où
le romancier refuse les grands problèmes moraux en
faveur des problèmes esthétiques et limite l'art du

roman aux FORMES romanesques, en évacuant le contenu psychologique et moral. C'est pourquoi un aspect seulement de l'imagination romanesque au xxe siècle sera évoqué ici : ces grandes créations foudroyantes qui écrasent l'amateur de littérature, Proust, Joyce, Musil, Kafka, Faulkner, Lowry, Durrell; puis les créations plus récentes de l'école française apparue vers 1954 avec Butor et Robbe-Grillet.

Mais si ce montage cinématographique que nous présentons doit avoir comme dernière étape chronologique ce que l'on appelle le nouveau roman, il n'est pas superflu de donner une place prééminente à ce qui l'a précédé. Le nouveau roman ne constitue pas une création absolue, mais l'expression plus systématique de diverses inventions et de divers courants qui s'imposent avant lui. On peut donc trouver ici l'occasion de rappeler et parfois de révéler — en s'arrêtant sur Musil, sur Durrell, sur Malcolm Lowry — tout le mouvement européen qui a précédé cette mode littéraire française.

*
* *

Les formes nouvelles de création romanesque ont déjà au xxe siècle leurs classiques : Proust, Joyce, Kafka, Musil, Faulkner, Durrell, Lowry. Avec eux le roman obéit à un postulat nouveau : il offre une réalité qui n'est pas totalement et immédiatement intelligible. Voilà ce qui déconcerta les premiers lecteurs de Proust, et cependant tout le monde aujourd'hui lit Proust sans difficulté sensible. Et voilà qui peut déconcerter encore devant Joyce ou Durrell, ou à plus forte raison chez Butor ou Robbe-Grillet. Pourtant, ce postulat existe aussi dans le roman policier — dont la vogue populaire coïncide avec cette époque 1920-1971 —, avec cette différence que, pour rassurer le lecteur et lui rendre sa tranquillité d'esprit, le roman policier donne la solution à la fin. Imaginons un roman policier qui n'aurait pas de solution, et nous ne serons pas loin de Kafka, de Durrell, de Robbe-Grillet.

Ce postulat modifie les habitudes du lecteur. Dans *La Chartreuse de Parme*, dans *Madame Bovary*, dans *La Guerre et la paix*, dans tel bon roman du xxe siècle comme un roman de Jacques Chardonne ou de Georges Duhamel, tout était présenté comme intelligible. Certes, on y pouvait découvrir en les relisant des finesses cachées, ou des précisions, des liaisons, des détails qui avaient échappé à première lecture. Mais le texte livrait une réalité homogène, déjà digérée et commentée par le romancier, et qu'il suffisait d'explorer assez minutieusement pour y trouver une image cohérente de la réalité étudiée, même si certaines questions morales devaient rester en débat. *« Le monde n'est pas inexpliqué lorsqu'on le récite* [1]. *»*

Ni Proust ni Durrell ne construisent leurs romans-sommes comme Tolstoï avait construit *La Guerre et la paix*. Tolstoï avait adopté les *routines narratives* de son époque, leur donnant vie par son souffle épique et humanitaire. Mais la composition « traditionnelle » de Tolstoï (ou de son émule Roger Martin du Gard) ne doit pas nous amener à condamner la composition (et les artifices de composition) de Proust ou de Durrell. Car si Tolstoï utilise des enchaînements de type balzacien, c'est-à-dire d'un certain art romanesque qui trouve son apogée

---

1. Roland BARTHES : *Le Degré zéro de l'écriture*, p. 47, Éd. du Seuil, 1953.

au xixᵉ siècle, Proust et Durrell retrouvent, eux, des *schémas* romanesques plus anciens, tout aussi valables : *Le Roman de la rose* était aussi une aventure intérieure, comme *La Recherche du temps perdu*. Le heurt des épisodes et des scènes nous étonne dans *Le Quatuor d'Alexandrie*, mais ce *Quatuor* de Durrell n'est pas composé d'une manière plus étrange ni plus aberrante que *L'Odyssée*... Au demeurant, l'*Ulysse* de Joyce et *Au-dessous du volcan* de Malcolm Lowry s'inspirent réellement de *L'Odyssée; La Modification* de Michel Butor utilise les mythes de *L'Énéide*.

Ainsi, de 1920 à nos jours, certains romans-sommes ou certains romans-exemplaires ne semblent étranges que par l'habitude que nous avions prise d'une certaine forme de narration, de description ou d'analyse chez les romanciers du xixᵉ siècle. Ou plutôt ils ne le semblent plus, car il est bien peu de lecteurs qui soient encore déroutés par un Proust ou par un Durrell, ou même par un Musil ou un Lowry.

*
* *

Dans ces transformations des formes romanesques, ne faut-il pas distinguer deux éléments? D'une part une modification de l'*architecture* du livre, chez Proust, Musil, Durrell, Butor... Et, d'autre part, une transformation de la *vision de détail*, en une gamme d'effets optiques, puisque, chez Proust déjà, puis chez Virginia Woolf, chez Faulkner, chez Nathalie Sarraute et chez Alain Robbe-Grillet, ce n'est plus seulement le mouvement du récit qui est mis en question, c'est la nature même de notre attention et de notre perception : l'œil du lecteur n'est plus celui d'un spectateur privilégié, mais devant lui défilent des images qui donnent une impression de myopie ou de presbytie, prises de trop près ou de trop loin, exigeant un constant effort d'accommodation ou d'identification.

Une telle transformation du style est certes liée à celle de la composition générale du roman, et de son intention. Mais elle n'en est pas inséparable. Et la première métamorphose du roman s'était affirmée entre 1920 et 1950. C'était celle de l'architecture romanesque. Elle avait commencé lorsque Proust avait voulu que son roman ne fût pas un récit, ni même une chronique, mais une sorte d'aventure spirituelle, intellectuelle ou esthétique : un engagement de la sensibilité personnelle, une épopée intime. Et, au moment même où se révélait Proust, Robert Musil s'engageait dans une entreprise de même nature, avec *L'Homme sans qualités*.

Cette révolution de la structure du roman et de sa musique intérieure s'affirmait, entre 1920 et 1950, dans de grandes œuvres dont (sauf pour Joyce) l'accès n'était pas réservé aux initiés, dont aucune ne fut écrite par snobisme ou par artifice. C'est d'ailleurs seulement en replaçant dans cette perspective les constructions plus systématiques du « nouveau roman » français qu'on peut le situer dans un courant plus vaste d'imagination et de création. Écrivant pour des lecteurs, et non pour des critiques littéraires, je citerai parfois des textes archiconnus pour mes confrères, je décrirai longuement un Musil ou un Durrell, car mon propos n'est pas de me limiter au « nouveau roman » déjà devenu traditionnel en France, mais de le replacer dans un cadre plus large.

Cependant, si vaste est ce courant du roman

nouveau que, pour éviter le manuel, l'encyclopédie et le panorama, on ne peut guère l'évoquer, comme je le ferai ici, qu'en s'arrêtant sur quelques grands exemples. La plupart sont ceux d'œuvres étrangères encore mal connues du grand public français, puisque entre 1925 et 1945 le roman français connut d'autres orientations, avec la génération des moralistes de la « condition humaine », Mauriac, Malraux, Bernanos, Saint-Exupéry, etc.

Pourtant, c'est avec une œuvre française que semble ouvrir à l'avance la seconde partie du xxe siècle, et que commencent les métamorphoses du roman : en proposant que le roman soit une *recherche* ou une énigme, et non plus un exposé et un récit, *La Recherche du temps perdu* inaugurait les formes polyphoniques, musicales, stéréophoniques de l'enchantement romanesque.

ARCHITECTURES

I

L'ANNONCIATION PROUSTIENNE

Un enchanteur fait de manies et de génie, tel apparut Proust au moment où il devenait célèbre, en 1919, pour un petit groupe d'initiés. On vit dans son œuvre une chronique, et une chronique maniérée. Puis derrière l'anecdote, derrière la masse des souvenirs et des peintures, derrière un apparent « style artiste » devint perceptible l'étrangeté d'un énorme roman à épisodes qui renonçait au fil conducteur d'une série d' « aventures », et livrait, dans un savant désordre d'impressions pointillistes, ces retours sur soi qu'un homme fait lorsqu'il écrit des Mémoires ou des Confessions...

Pourtant, *A la recherche du temps perdu* n'était ni confessions ni mémoires, car le narrateur n'y rapportait pas de faits objectifs, notables et historiques, et n'y exposait pas non plus les secrets de son âme, de son corps et de sa vie. Il y évoquait le monde extérieur qu'il avait connu, c'est-à-dire une certaine société parisienne. Mais il les évoquait uniquement à travers lui-même, à travers les visions éphémères, illusoires, contestables qu'il s'en était faites. Il ne s'y présentait lui-même que dans la mesure où il avait essayé de comprendre le monde qui l'entourait. Ce n'était pas la confession intime

de Marcel, ce n'était pas non plus la peinture d'une
société. C'était le premier roman (sauf certains passages de Rousseau ou de Nerval) qui ne fût ni la
description d'une « réalité » ni l'exposé subjectif d'une
vie personnelle et intérieure.

On admira, avec quelques réticences, ce texte
riche, impénétrable et nuancé, qui n'était ni roman,
ni récit, ni poème. Et peu à peu on sentit qu'il
offrait un mode nouveau de vision et de reconstruction du monde. Il défiait les traditions de la construction romanesque, et son architecture était infiniment plus subtile que celle du roman. Tout ce
qui avait été dans le récit romanesque une rigide
succession d'épisodes y devenait fluide et subtil. On
avait l'impression que dans *La Recherche du temps
perdu*, les époques du temps glissaient les unes sur
les autres. C'était une sorte de rêve —, un rêve
précis, car Proust reste un mémorialiste, mémorialiste de soi et d'une société qui peuple sa mémoire.
Mais une sensation de songe et de vertige, toute
nouvelle alors, s'impose dès les premières pages du
premier volume.

*
* *

« *Longtemps, je me suis couché de bonne heure. Parfois, à peine ma bougie éteinte, mes yeux se fermaient
si vite que je n'avais pas le temps de me dire : « Je
m'endors. » Et une demi-heure après, la pensée qu'il
était temps de chercher le sommeil m'éveillait* [1]... » Cet
homme dont les pensées se font, se défont, s'en-
lacent, entre l'insomnie et le demi-sommeil, cet

---

1. Marcel Proust : *Du côté de chez Swann*, t. I, p. 13, Gallimard.

homme perdu dans une nuit de souvenirs non iden-
tifiés et de rêves fragmentaires et pourtant précis,
il ressemble — dans un style fort différent, analyti-
que et psychologique, sans lyrisme épique — à Dante
perdu dans la forêt obscure, « au milieu du chemin
de sa vie ».

Car le Temps n'est pas défini, le Temps n'est
plus un déroulement, mais retours et labyrinthes
de la mémoire et du songe. Le premier tome, *Du
côté de chez Swann*, s'ouvre sur cette image d'un
homme ensommeillé rêvant à demi, et c'est à travers lui
que renaîtra peu à peu la chronique de Combray
ou de Balbec. Au lieu d'être raconté, tout le livre
est songé par un insomniaque; c'est du moins l'impression que donnent les premières pages. « *J'ap-
puyais tendrement mes joues contre les belles joues de
l'oreiller (...). Je me rendormais, et parfois je n'avais
plus que de courts réveils d'un instant.* » Et la valeur
de cet état crépusculaire apparaît à la troisième
page : « *Un homme qui dort tient en cercle autour de
lui le fil des heures, l'ordre des années et des mondes.
Il les consulte d'instinct en s'éveillant...* »

Il est bien difficile de rétablir la *chronologie* dans
ce roman qui commence par une série de rêves.
Quel âge a le narrateur Marcel, dans cette époque
de sa vie où il se couche de bonne heure, et, en
dormant, rejoint les souvenirs de son enfance et de
sa vie passée? Où et quand cela se passe-t-il?

On ne le sait. Il suffit que dans cette période
indéterminée de son existence, Marcel ait déjà commencé à jouir des délices de sa mémoire : « *Généralement, je ne cherchais pas à me rendormir tout de
suite; je passais la plus grande partie de la nuit à
me rappeler notre vie d'autrefois à Combray chez*

ma grand-tante, à Balbec, à Paris, à Doncières, à Venise, ailleurs encore, à me rappeler les lieux, les personnes que j'y avais connues, ce que j'avais vu d'elles, ce qu'on n'en avait raconté [1]... » Et c'est à la faveur de ces rêveries du demi-sommeil qu'après une vingtaine de pages, on se trouve reporté plus nettement à une époque passée, et que s'organisent plus méthodiquement, comme dans une véritable chronique, les souvenirs de l'enfance : « *A Combray, tous les jours dès la fin de l'après-midi, longtemps avant le moment où il faudrait me mettre au lit* [2]... » Alors peut commencer un véritable récit de l'enfance, plus nettement situé dans le temps et formé d'anecdotes; on y voit passer les grands-parents, la grand-tante de Marcel, ses parents, on y assiste aux visites que M. Swann fait à sa famille, elles prennent une forme précise, elles sont *racontées*... Mais, racontées de loin, avec une certaine distance que l'on ne peut oublier, car quelques pages plus loin toute cette enfance à Combray cesse de nouveau d'être réelle et en quelque sorte présente, pour redevenir un ensemble de souvenirs qui n'existent que dans la mémoire de l'homme mûr qui les évoque : « *C'est ainsi que, pendant longtemps, quand, réveillé la nuit, je me ressouvenais de Combray, je n'en revis jamais que cette sorte de pan lumineux, découpé au milieu d'indistinctes ténèbres* [3]... »; et l'épisode célèbre de la madeleine va bientôt venir apporter sa valeur symbolique...

Toutes ces premières pages du *Temps perdu* sont des évocations parfois minutieuses, parfois si pré-

1. Marcel PROUST : *Du côté de chez Swann*, t, I, p. 20.
2. *Ibid.*
3. *Ibid*, t. I, p. 64,

cises qu'elles deviennent comme présentes, d'une
enfance lointaine. Souvenirs éclatants et vivaces,
mais que l'on sent toujours revécus par un homme
mûr, et cet homme est presque impossible à situer
dans le temps et dans l'espace... Car lui-même,
tandis qu'il rêve à son enfance, est évoqué *au passé*
(« *Longtemps je me suis couché de bonne heure* »;
« *Certes, j'étais bien éveillé...* »; « *C'est ainsi que,
pendant longtemps, lorsque je me ressouvenais de
Combray...* »). Et ainsi l'homme de trente ans (?)
qui jouissait de retrouver dans sa mémoire son
enfance de neuf ans à Combray *est lui-même évoqué
par un homme beaucoup plus âgé* qui est Marcel
après la matinée de Guermantes, à la fin du *Temps
perdu*, à l'âge de cinquante ou soixante ans... On
songe à ce conte de Jorge Luis Borgès, où un fakir
qui se promène dans des ruines n'est que le rêve
d'un autre fakir, lequel à son tour n'existe que dans
le rêve d'un troisième fakir... Ainsi le garçonnet de
Combray n'existe plus que dans la mémoire de ce
Marcel de trente ans, qui lui-même n'a de réalité
que dans la mémoire du Marcel de soixante ans.
   Ce jeu subtil du temps et du souvenir, on l'accepte
d'abord comme une recherche d'art. Mais il donne
à l'ensemble de l'œuvre un *relief* dont rien jusque-là
n'avait procuré l'impression, sinon les textes poétiques d'*Aurélia*, de la *Saison en enfer* ou des *Chants
de Maldoror*. Mais il y avait eu, chez Nerval, chez
Rimbaud, chez Lautréamont, les fulgurances et les
insolences du poète. Proust ne s'éloignait pas du
domaine de la prose romanesque, mais il en modifiait
les perspectives. Il renonçait aux fatalités et à l'intérêt superficiel d'une intrigue continue, et son
roman échappait à cette progression dramatique

obligatoire que le genre romanesque avait hérité de la tragédie. Tout s'y composait sous forme de rêve, avec toutes les précisions du rêve, et sous forme de musique, avec toutes les rigueurs mathématiques des développements musicaux. Bref, le roman s'ouvrait à toutes sortes d'enchantements, et se libérait de la superstition de l'intrigue.

*
* *

En donnant un relief au temps romanesque, en introduisant des effets de stéréoscopie dans le roman et en y faisant apparaître une dimension nouvelle, l'action romanesque cessait de s'exprimer par une ligne droite tracée sur une surface plane (le destin du héros sur le fond d'un décor). Elle devenait un réseau de lignes multiples, superposées, alternées, zigzaguant et se croisant, et parfois se réunissant en polygones chez Durrell, ou en labyrinthes chez Robbe-Grillet. On ne pourra plus représenter l'intrigue par le graphique simple d'un récit continu et unique, comme dans *Le Rouge et le Noir* ou dans *Germinal;* il faudra recourir à des représentations graphiques plus complexes, certaines à trois dimensions, comme le suggérerait un schéma de l'œuvre proustienne. Le lecteur de roman cesse alors d'entrer dans une « histoire » par un bout pour ressortir par l'autre, en suivant un trajet continu; il doit pénétrer dans un univers où il erre et ne sait où il va. Telle est l'exigence d'une certaine forme de création romanesque, dont les trois responsables apparaissent presque en même temps, sans s'être concertés, Proust, Kafka, Joyce, précédés de peu par un précurseur dont les effets de dislocation du

roman étaient moins immédiatement sensibles :
Henry James.

Leur influence tardera à se faire sentir. Kafka
n'est largement traduit en France qu'à partir de
1938. Henry James n'y est découvert qu'après la
Seconde Guerre mondiale. L'*Ulysse* de Joyce ne peut,
pendant longtemps, être imprimé ou même introduit en Angleterre. C'est Proust, avec Henry James,
qui inspire vers 1930 le groupe de Bloomsbury et
Virginia Woolf. Nathalie Sarraute recevra à son
tour l'influence de Virginia Woolf, seulement après
1938. La subtilité proustienne ne revient ainsi en
France qu'après un aller et retour en Angleterre, et
en 1947, Samuel Beckett est encore le seul disciple
de Joyce, jusqu'à ce qu'en 1953, avec la génération
d'Alain Robbe-Grillet et de Michel Butor, les inspirations de Proust et de Joyce prennent une forme
systématique.

Il y eut cependant, entre 1925 et 1935, une première révélation proustienne. On découvrait à travers Proust, de manière encore rudimentaire, la
possibilité, pour le roman, de jouer sur plusieurs
plans, dans le temps ou dans l'espace, et de faire
glisser les fragments de la réalité les uns sur les
autres. C'est le plaisir que se donne André Gide en
1925 dans *Les Faux-Monnayeurs*, inspiré d'ailleurs
autant par Dostoïevski que par Proust. En 1928,
Aldous Huxley reprenait le même propos dans un
roman symphonique de construction subtile, *Contrepoint*. Et en 1936, Huxley publiait, avec *La Paix
des profondeurs (Eyeless in Gaza)* un roman polyphonique très cérébral où il donnait une forme systématique du temps proustien. C'est aussi à partir
de 1931 que Jules Romains, sans jouer avec le

temps, mais utilisant en mosaïque les simultanéités dans l'espace, fait des *Hommes de bonne volonté* une fresque à la fois populiste et subtile, où le roman cesse d'être récit pour devenir épopée mouvante, comme dans *Les Buddenbrooks* de Thomas Mann, ou comme dans *Les Misérables* [1].

En ces mêmes temps, entre 1920 et 1930, Robert Musil écrivait les premiers volumes de *L'Homme sans qualités*, sans pourtant avoir subi aucune influence de ses contemporains. Malcolm Lowry avait onze ans, et il ne devait publier *Au-dessous du volcan* qu'en 1947.

---

1. La « mise en question » du roman dans sa construction et son architecture est, historiquement, bien antérieure à 1920. Sans remonter au *Tristram Shandy* de Sterne, elle est préparée dans l'époque post-symboliste, au moment où Gide écrivait *Paludes*, comme je l'ai montré dans *Histoire du roman moderne* (Albin Michel). Cette première « contestation » du roman est étudiée par Michel RAI-MOND dans *La Crise du roman, des lendemains du naturalisme aux années vingt* (José Corti, 1966). Pour moi, je n'ai pas voulu remonter ici aussi loin, et je pars du moment où commence une nouvelle sensibilité, m'attachant surtout à relier l'époque 1930 à l'époque 1960.

II

LA PREMIÈRE ÉPOQUE PROUSTIENNE : GIDE, HUXLEY, MAURIAC

Q ᴜᴇ le roman soit un dédale plutôt qu'un récit unilinéaire n'a rien de contradictoire avec sa vocation première. *L'Odyssée* (si on veut bien la considérer comme un roman) constitue un monde proustien, avec nombre de retours en arrière. Dans les romans antiques comme *L'Ane d'or*, ou dans les moutures vulgaires des romans de chevalerie dont se nourrissait don Quichotte, la multiplicité des épisodes agit dans le sens de cette complexité. Presque tous les romans du xviiᵉ siècle et du xviiiᵉ étaient des romans à tiroirs, où en contant une histoire on s'interrompait pour placer une histoire secondaire, à l'intérieur de laquelle intervenaient d'autres histoires secondaires placées « en abyme ». Au xixᵉ siècle encore, *La Guerre et la paix* ou *Les Misérables* ne forment pas un récit continu, mais, sous l'apparence de digressions, un ensemble de massifs romanesques qui glissent l'un sur l'autre.

Du xviᵉ au xviiiᵉ siècle, la distinction reste nette entre le romancier, qui évoque un monde complexe et touffu, et le *conteur* qui narre brièvement une histoire unique et simplifiée. C'est seulement au xixᵉ siècle que le romancier est devenu conteur,

rationalisant et réduisant la prolifération naturelle
du roman à une intrigue psychologique ou sociale
unifiée et simplifiée, qui devient alors une anecdote
ou un fait divers, Mérimée avec *Colomba*, Balzac
avec *Le Médecin de campagne*, Flaubert avec *Madame
Bovary*, Paul Bourget avec *Un divorce*. La revanche
du « roman » au sens traditionnel du mot ne tardera
guère à se faire sentir : Gide écrit en 1918 un récit
subtil, mais unilinéaire, *La Symphonie pastorale;* mais
il publie dès 1925 un « roman » complexe et polyphonique, *Les Faux-Monnayeurs*. Polyphoniques aussi
(c'est-à-dire jouant sur plusieurs intrigues) les deux
plus grands romans de la même époque, *Sous le soleil
de Satan* et *La Condition humaine*. Et, surtout,
quelques grands romans apparaissent, plus ou moins
avortés, qui parfois s'inspirent plus nommément de
Proust.

* *
*

Car il y eut, entre 1920 et 1930, une illumination
post-proustienne. L'ambition de « faire du Proust »
y est visible, elle y est même un peu naïve. L'atmosphère sociale et intellectuelle évoquée par Gide ou
par Huxley a reculé dans le passé; mais *Les Faux-
Monnayeurs* et *Contrepoint* sont devenus des classiques de la littérature. En ce sens, ils peuvent servir
de transition entre la révélation proustienne, qui
garde toujours une apparence ésotérique, et nombre
d'inspirations romanesques qui apparaîtront par la
suite, qu'il s'agisse des grands massifs romanesques
de Robert Musil et de Lawrence Durrell, ou des
textes plus systématiques du « nouveau roman » en
France.

Puisque le besoin s'affirmait d'inventer une plus
subtile organisation intérieure du roman, l'expérience
la plus évidente et la plus visiblement significative,
dans la décennie d'après guerre, fut celle de Gide
avec *Les Faux-Monnayeurs* en 1925. Significative
parce qu'elle n'est pas entièrement réussie : le charme
des *Faux-Monnayeurs* est le charme personnel de
Gide et non celui d'une nouvelle structure romanesque. Mais les efforts et l'application de Gide à
créer un roman polyphonique, un roman insolite et
nouveau, n'en prennent que plus de valeur car on
peut saisir ses intentions sur le vif, telles que par
exemple il les confiait à Roger Martin du Gard :
« *Écrire un long roman touffu, chargé d'épisodes.* »
Gide tient surtout — et l'on retrouvera cette volonté
de Huxley à Robbe-Grillet — à une composition
romanesque complexe, polygonale ou circulaire.
« *Pour mieux se faire comprendre, rapporte Roger
Martin du Gard, il a pris une feuille blanche, y a
tracé une ligne horizontale, toute droite. Puis, saisis-
sant ma lampe de poche, il a promené lentement le
point lumineux d'un bout à l'autre de la ligne :* « *Voilà
« votre Barois, voilà vos Thibault... Vous imaginez la
« biographie d'un personnage, ou l'historique d'une
« famille, et vous projetez là-dessus votre lumière honnê-
« tement, année par année. Moi, voilà comment je veux
« composer mes Faux-Monnayeurs...* » *Il retourne la
feuille, y dessine un grand demi-cercle, pose la lampe
au milieu, et la faisant virer sur place, il promène le
rayon tout au long de la courbe, en maintenant la lampe
au point central :* « *Comprenez-vous, cher? Ce sont deux
« esthétiques (...). Vous ne racontez jamais un événe-
« ment passé à travers un événement présent, ou à tra-
« vers un personnage qui n'y est pas acteur (...). Rien*

« *n'est jamais présenté de biais, de façon imprévue,*
« *anachronique* [1]... »

Ces théories romanesques que Gide expose un peu
naïvement en 1925, il n'est pas parvenu à les illustrer de manière convaincante. Mais ce « *roman touffu,
chargé d'épisodes* », cet « *événement passé raconté à
travers un événement présent* », cette présentation « *de
biais* » et « *anachronique* », constituent un programme
que l'on retrouvera trente ans plus tard chez Durrell, Robbe-Grillet ou Butor.

Dès le départ, Gide a décidé que dans le roman il
fallait supprimer le « sujet ». Un vrai roman ne doit
pas avoir de sujet préconçu; il sera le libre développement d'un romancier qui écrit à l'aveuglette et
se laisse mener par ses personnages ou par sa fantaisie. Cette intention, il la place dans la bouche
d'un personnage épisodique de son propre roman, un
garçon de dix-huit ans qui voudrait écrire un roman,
mais un roman qui soit fait d'entière liberté : « *Ce
que je voudrais, disait Lucien, c'est raconter l'histoire,
non point d'un personnage, mais d'un endroit, —tiens,
par exemple, d'une allée de jardin, comme celle-ci (...)
— depuis le matin jusqu'au soir. Il y viendrait d'abord
des bonnes d'enfants, des nourrices avec des rubans...
Non, non... d'abord des gens tout gris, sans sexe ni
âge, pour balayer l'allée, arroser l'herbe, changer les
fleurs, enfin préparer la scène et le décor avant l'ouverture des grilles (...). Alors, l'entrée des nourrices.
Des mioches font des pâtés de sable, se chamaillent;
les bonnes les giflent. Ensuite, il y a la sortie des
petites classes —et puis les ouvrières. Il y a des pauvres
qui viennent manger sur un banc. Plus tard des jeunes*

---

1. Roger MARTIN DU GARD : *Notes sur André Gide, Œuvres complètes*, t. II,
p. 1371, Bibl. de la Pléiade, Gallimard.

*gens qui se cherchent; d'autres qui se fuient; d'autres
qui s'isolent, des rêveurs (...). Des étudiants, comme à
présent. Le soir, des amants qui s'embrassent* [1]... »

C'est là retrouver une certaine liberté d'ouverture
et de fantaisie, c'est renoncer à cette *unité d'action*
qui, au XIXe siècle, avait été transportée de la tragédie désuète au roman « bien fait ».

Et il est vrai que Gide écrit ainsi ses *Faux-
Monnayeurs*. Dans les premiers chapitres, il introduit des personnages, sans savoir à l'avance ce qu'ils
donneront, ce qu'ils feront dans la suite du récit. Ce
sont des jeunes gens, qui se réunissent et bavardent
dans une allée du Luxembourg. L'un d'eux, Bernard
Profitendieu, vient de s'enfuir de la maison pater-
nelle. Il est plus ou moins aidé dans sa fugue par
son ami Olivier Molinier, qui cherche aussi l'aventure. Et les rencontres que feront ces deux jeunes
gens formeront les épisodes du roman : rencontre
d'un esthète qui fait de la littérature par snobisme,
le vicomte de Passavant; rencontre d'une jeune
femme qui se trouve dans une situation immorale et
pathétique; immixtion dans un pensionnat, où pas-
seront les figures pittoresques et inquiétantes du
directeur, de sa famille, des répétiteurs, des élèves
— qui ne sont pas les moins immoraux de tous...;
et enfin rencontre d'un écrivain, à la fois esthète et
balourd, Édouard, qui ressemble malheureusement
un peu trop à André Gide lui-même, avec ce que
l'on peut appeler pudiquement ses manies...

Tout va se passer au hasard de ces rencontres.
Gide refuse ici d'écrire l'histoire précise de deux ou
trois personnages déterminés, n'ayant devant eux,

---

1. André GIDE : *Les Faux-Monnayeurs*, p. 15, Gallimard.

comme les héros de la tragédie classique, qu'un problème unique et nettement défini. Il se plaît au
contraire à faire se croiser et s'entrecroiser des personnages dont chacun a son drame, qui ne rejoint
jamais celui des autres, dans une sorte de ballet. Ce
carrousel est d'ailleur plus fantaisiste et ironique
que tragique et sérieux. Il évoque le monde boule-
versé de Dostoïevski, avec cette différence que
Dostoïevski est pathétique, alors que Gide est simplement inquiétant et amusant.

La désinvolture voulue de la construction n'est
que trop visible. Gide se joue à montrer ce que fait,
à onze heures du soir, chacun de ses personnages,
adoptant à leur égard un style d'auteur paternaliste :
« *Le père et le fils n'ont plus rien à se dire. Quittons-les.
Il est bientôt onze heures. Laissons M*me *Profitendieu
dans sa chambre, assise sur une petite chaise droite (...).
Quittons-la. Cécile dort déjà. Caloub considère (...) sa
bougie (...). J'aurais été curieux de savoir ce qu'An-
toine a pu raconter à son amie la cuisinière; mais on
ne peut tout écouter. Voici l'heure où Bernard doit
aller retrouver Olivier* [1]...»

Ce « simultanéisme », utilisé ici avec légèreté,
Jules Romains l'emploiera aussi. Et Huxley. Et
Michel Butor dans *Passage de Milan*. Il suffit de
voir comment il naît en 1925 dans un jeu d'esprit
de Gide. Et ces « ficelles », trop apparentes dans *Les
Faux-Monnayeurs*, ont l'avantage de montrer, sur
l'exemple d'un ouvrage largement connu, un certain
nombre d'intentions et de procédés qu'il sera ainsi
plus aisé de déchiffrer dans des œuvres plus réellement complexes, comme celles de Durrell ou de Butor.

---

1. André GIDE : *Les Faux-Monnayeurs*, pp. 34-35.

Obsédés par le jeu subtil de Proust et sa création d'un relief dans le temps, nombre de romanciers, de Gide à nos contemporains, cherchent à créer une complexité interne du roman et des effets de perspective. Un procédé proustien consiste à placer un romancier dans le roman, et même à placer un roman dans le roman, comme le Corneille baroque et illusionniste de *L'Illusion comique* plaçait la représentation d'une pièce de théâtre à l'intérieur de sa propre pièce. Par cet artifice, le roman n'est plus livré comme « tout fait », mais il se fait devant le lecteur. Dans *Les Faux-Monnayeurs* intervient sans cesse le romancier Édouard, qui est en train d'écrire un livre intitulé *Les Faux-Monnayeurs;* et ainsi, à l'intérieur du roman, se trouve un autre roman (ou le même), placé « en abyme ». Jeu de glaces et de reflets, trop évident ici, mais ne le retrouve-t-on pas, sous forme plus subtile, lorsqu'en écrivant *Dans le labyrinthe* Alain Robbe-Grillet décrit en même temps des personnages dans la rue, et un tableau représentant l'intérieur d'un café, jusqu'à ce que les deux groupes coïncident, que les personnages vivants soient entrés dans un café et aient plus ou moins pris les poses des personnages représentés sur le tableau?

Aldous Huxley reprendra ce jeu. « *Introduire dans le roman un romancier. Il servira de prétexte à des généralisations esthétiques (...). Il justifiera également des expériences. Des spécimens de son œuvre pourront illustrer d'autres manières, possibles ou impossibles, de raconter une histoire.* » N'est-ce pas ce que Gide a précisément fait trois ans plus tôt? Mais Huxley va plus loin, et jusqu'au jeu des glaces parallèles : « *Pourquoi s'en tenir à un seul romancier dans le roman? Pourquoi pas un second, dans le roman du premier? Et un troisième, dans le roman du second? Et ainsi de suite jusqu'à l'infini (...). Vers la dixième image, on pourrait avoir un romancier racontant l'histoire en symboles algébriques* [1]... » En 1966, Aldous Huxley verrait son vœu rempli par le « nouveau roman ».

*
* *

Un effet d'optique, un jeu de miroirs ou de prismes, c'est l'idée, la tentation, le procédé que, de 1925 à 1965, on va essayer d'installer dans le roman. Au milieu du siècle, ce sera le roman en rosace de Lawrence Durrell, ce peut être, dans *La Modification* de Michel Butor, le glissement, les superpositions et le mélange de divers moments du passé dans la mémoire d'un homme enfermé dans un compartiment de chemin de fer. Mais ce monde kaléidoscopique n'est pas une invention de 1950; il avait déjà trouvé sa vulgarisation et sa forme la plus accessible dans *Les Faux-Monnayeurs* en 1925, comme, quelques années plus tôt, il avait trouvé avec l'œuvre de Proust une expression si subtile que le procédé y devenait insensible.

En 1925, lorsqu'il tentait de faire du roman une magie plus qu'un récit, Gide ne connaissait pas son contemporain Robert Musil. Ni Kafka ni, à plus forte raison, Lawrence Durrell, Robbe-Grillet ou Butor, qui venaient à peine de naître. Pourtant, toutes les intentions qui définiront le roman nouveau existent déjà chez Gide, qui ne connaissait

1. Aldous Huxley : *Contrepoint*, t. II, p. 101, Plon.

que Proust, Dostoïevski et, très peu, Joyce (non cité dans son *Journal*).

Ainsi, tout est dans tout, lorsqu'une ère littéraire s'ouvre sur des intentions et des découvertes qui n'ont besoin d'aucune connivence pour s'exprimer simultanément. L'idée est née vers 1920 d'un roman qui serait œuvre d'art, piège pour l'esprit, et non reconstruction de la réalité. « *Dépouiller le roman de tous les éléments qui n'appartiennent pas spécifiquement au roman. De même que la photographie, naguère, débarrassa la peinture du souci de certaines exactitudes, le phonographe nettoiera sans doute demain le roman de ses dialogues rapportés, dont le réaliste souvent se fait gloire. Les événements extérieurs, les accidents, les traumatismes, appartiennent au cinéma; il sied que le roman les lui laisse. Même la description des personnages ne me paraît point appartenir proprement au genre. Oui vraiment, il ne me paraît pas que le roman pur (et en art, comme partout, la pureté seule m'importe) ait à s'en occuper* [1]. »

* *
*

Il s'agit bien de délivrer le roman de l'intrigue, de la « peinture », sociale ou psychologique, et d'en faire une œuvre qui soit un charme pur : « *Est-ce parce que, de tous les genres littéraires, discourait Édouard, le roman reste le plus libre, le plus* lawless..., *est-ce peut-être pour cela, par peur de cette liberté même (car les artistes qui soupirent le plus après la liberté sont les plus affolés souvent, dès qu'ils l'obtiennent) que le roman, toujours, s'est si craintivement*

---

1. André GIDE : *Les Faux-Monnayeurs*, p. 97.

cramponné à la réalité? Et je ne parle pas seulement du roman français. Tout aussi bien que le roman anglais, le roman russe, si échappé qu'il soit de la contrainte, s'asservit à la ressemblance. Le seul progrès qu'il envisage, c'est de se rapprocher encore plus du naturel. Il n'a jamais connu le roman, cette « formidable érosion des contours », dont parle Nietzsche, et ce volontaire écartement de la vie [1]... »

Puisqu'il n'est plus évocation directe, fidèle et intelligente, de la réalité, le roman devra trouver d'autres charmes : charme *purement artistique* qui tiendra à sa composition et à son rythme, charme comparable à celui du poème mallarméen ou de la musique de Bach : « *Ce que je voudrais faire*, dit Édouard dans *Les Faux-Monnayeurs*, *c'est quelque chose qui serait comme* L'Art de la fugue. *Et je ne vois pas pourquoi ce qui fut possible en musique, serait impossible en littérature* [2]. »

En 1928, dans *Contrepoint*, Aldous Huxley, qui a lu Proust et Gide, reprend le même thème et la même intention : « *Musicalisation du roman. Non pas à la manière symboliste, en subordonnant le sens aux sons (...). Mais sur une grande échelle, dans la construction. Méditer Beethoven. Les changements de modes, les transitions abruptes (...). Mettre cela dans un roman. Comment? (...) Tout ce qu'il faut, c'est un nombre suffisant de personnages, et des intrigues parallèles, contrapuntiques. Pendant que Jones assassine sa femme, Smith pousse la voiture d'enfant dans le parc. On alterne les thèmes. Plus intéressantes, les modulations et la variation sont aussi*

---

1. André GIDE : *Les Faux-Monnayeurs*, p. 236.
2. *Ibid.*, p. 243.

plus difficiles. Le romancier module en redoublant les situations et les caractères [1]... »

Une fois de plus, un romancier de 1928 — bien passé de mode aujourd'hui — définit très exactement ce que feront les romanciers des années 1950 ou 1960. En avons-nous assez vu de romans « simultanéistes », où des personnages qui ne se connaissent pas vivent en même temps leur destin, l'un assassinant sa femme et l'autre poussant une voiture d'enfant : on retrouverait ce procédé jusque dans *Le Sursis* de Jean-Paul Sartre, inspiré de Dos Passos!

Avec autant d'application que Gide, et avec une fantaisie à peine moins ironique, Aldous Huxley évoquait en 1928 cet entrecroisement de destinées. *Contrepoint* est la chronique pseudo-proustienne d'une *intelligentsia* londonienne dans l'après-guerre. Des esthètes comme Philip Quarles ou comme Spandrell, de vieux Anglais comme John Bidlake, des plébéiens haineux comme Illidge, des fascistes comme Everard Webley, de jeunes intellectuels comme Walter vivent plus ou moins dans le même monde, mais se rencontrent seulement par occasion, comme les personnages de la farandole gidienne dans *Les Faux-Monnayeurs*. Chacun a son problème, qui ressemble à celui des autres sans s'identifier avec lui; et les « motifs » des divers personnages s'entrecroisent, se doublent, se complètent comme dans une fugue ou un contrepoint musical. Tout cela, malheureusement, dans un style trop cérébral et trop factice pour que ce livre riche et sec ait pu dépasser son époque. Mais dans son ambition, il manifeste ce besoin de créer un roman sympho-

---

1. Aldous HUXLEY : *Contrepoint*, t. II, p. 100, Plon.

nique et même polyphonique, qui date des années
1920.

A l'égard des écrivains de cette époque, Proust
avait agi comme un tentateur et comme un modèle
inimitable. D'ailleurs, Aldous Huxley lui paie sa
dette de reconnaissance (ou d'envie) lorsqu'il le
caricature dans *La Paix des profondeurs*, et évoque
« *cet asthmatique chercheur du temps perdu, accroupi,
affreusement blanc avec ses chairs mollasses, avec des
mamelles presque féminines mais garnies de longs
poils noirs, accroupi à jamais dans le bain tiède de
son passé qui lui revenait à la mémoire (...), y puisant
à pleine tasse et roulant dans sa bouche, en connais-
seur, la liqueur grise et pleine de sédiment, s'en gar-
garisant, s'en rinçant les narines, comme un pieux
Hindou dans le Gange* [1] ». Rien ne pourrait montrer
mieux, que ce reniement agressif, combien Proust
pouvait troubler la conscience de ses contemporains... Car il ne s'agit pas de cette complaisance à
soi-même que Huxley lui reproche... En fait, Gide
et Huxley ont admiré autre chose chez Proust :
l'art de faire du roman une sculpture qui tourne
dans l'espace.

Mais ils ne sont pas parvenus, eux, à obtenir
cette illusion qui s'appelle le « relief dans le temps »;
si bien mêler et faire glisser l'une sur l'autre les
époques et les images d'une vie ou d'une chronique,
que l'on en puisse garder l'impression d'une magie,
qui est celle de la mémoire...

En 1936, Aldous Huxley se jette dans cette entreprise, avec les qualités et les défauts d'un romancier
hypercérébral gêné par son intelligence. *La Paix*

1. Aldous HUXLEY : *La Paix des profondeurs*, t. I, p. 8, Plon.

des profondeurs (Eyeless in Gaza) évoque, comme
Contrepoint, des intellectuels anglais et le beau monde
qu'ils fréquentent : en particulier deux anciens amis
de collège, Anthony Beavis et Brian Foxe, qui
depuis leur adolescence vers 1902 jusqu'à leur âge
mûr vers 1933, sont restés liés, malgré des occasions
diverses, à travers leurs vacances et leurs souvenirs.
Autour d'eux, leurs condisciples, qu'ils retrouvent
sans cesse dans la vie d'homme : le cynique, le
timide, le conquérant. Et aussi, les personnages de
leur vie mondaine ou personnelle : esthètes londo-
niens un peu déséquilibrés que fréquente Anthony
Beavis, théoriciens, végétariens et boy-scouts que
fréquente Brian Foxe. A cela se mêlent des hommes
d'un autre âge, des fossiles du siècle passé, comme
le père d'Anthony ou la mère de Briant. Et en
évoquant sur une durée de trente ans le passage de
la première jeunesse à la dernière maturité, Huxley
fait courir dans son roman ce que l'on appelle com-
munément une « fresque », fresque qui s'organise
autour de la vie et des expériences d'un personnage
central, Anthony Beavis.

Mais cette fresque est en morceaux, éclatée comme
un puzzle, car les chapitres échappent à l'ordre
chronologique : 20 août 1933, 4 avril 1934 (...),
6 novembre 1902, 8 avril 1934 (...). Dans le premier
chapitre, des photographies jaunies défilent, un peu
en vrac, entre les mains d'Anthony. Et ce sont
elles, en somme, qui par un procédé un peu facile,
suscitent les chapitres suivants, faits de retours en
arrière, de bonds dans le temps...

Cependant, à partir du 20 août 1933, Anthony
continue à vivre dans l'âge mûr, tandis que sont
évoquées dans des chapitres intercalaires son enfance

ou sa jeunesse. Le roman se poursuit alors au moins
sur un *double* plan (en réalité sur des plans multiples)
selon un procédé dont on voit la naissance et l'affirmation en ces années autour de 1930. On le retrouvera, si l'on y regarde de près, dans certains romans
de Mauriac comme *Le Nœud de vipères*. Et il sera
aussi bien en partie celui de Michel Butor dans *La
Modification* en 1957, avec plus de « fondu » et plus
d'habileté.

C'est dans une œuvre un peu artificieuse précisément, comme *La Paix des profondeurs*, que transpa-
raissent les schémas romanesques en formation. Non
seulement l'idée de dérouler le roman sur deux plans
de la durée — en 1902 et en 1933 par exemple —,
mais aussi l'idée d'introduire dans le roman une
énigme. A partir du moment où l'action cesse de se
développer chronologiquement, le lecteur cesse d'être
invité à suivre une évolution continue, logique
parce que chronologique, comme l'était le récit
traditionnel. Entre deux moments de la vie d'Anthony Beavis — comme 1902 et 1933 —, se place-
raient des faits qui seraient nécessaires pour comprendre la situation d'Anthony en 1933, mais que
le lecteur ne connaîtra que vers la fin du livre...
Non seulement le roman est un *puzzle*, dont la
lecture exige un effort actif, mais c'est un *puzzle*
dont tous les morceaux ne sont pas livrés ensemble :
le romancier ne les tend au lecteur qu'au fur et à
mesure et un peu au hasard, se faisant prier en
quelque sorte pour permettre au lecteur qui voudrait reconstituer logiquement l'histoire contée, de
boucher un « trou » dans ses tentatives de reconstitution. Ainsi tel personnage comme Mary Amber-
ley nous apparaît vieillie, avant que nous connais-

sions sa jeunesse et ses amours avec Anthony, et presque jusqu'à la fin du livre nous attendrons de connaître ce qui s'est passé dans l'intervalle, par exemple, la rupture.

Le procédé d'Huxley était simpliste : présenter dans un ordre apparemment arbitraire, comme un jeu de cartes brouillé, comme une collection de photographies déclassées, divers épisodes d'une vie humaine liée à d'autres vies, 1933, 1902, 1912, etc. Cependant Huxley y introduisait une certaine habileté, avec des « rappels » et des correspondances qui permettent, une fois admis le procédé, d'avancer dans la lecture du livre sans être totalement désorienté, sans ressentir une impression d'absurdité ou de « brouillard ».

C'est bien cet effet de « brouillard » qui distinguera, du jeu d'esprit d'Aldous Huxley, un certain nombre de romans de Faulkner, qui est presque son contemporain; on sait que pour « comprendre » et reconstituer l'intrigue de *Sanctuaire*, il faut tenir compte d'un viol qui n'est jamais raconté dans le livre, qui apparaît seulement en sous-entendu à un certain moment, au point que l'on est amené à feuilleter et refeuilleter le roman pour y trouver un épisode crucial qui n'y existe pas...

La sensation de « brouillard » devient plus insistante et plus systématique après 1953 chez Alain Robbe-Grillet, qui, dans *Le Voyeur*, mêlant (sans prévenir le lecteur) des scènes réellement vécues à des scènes imaginaires obtient un effet de déroutement total. Là aussi un viol se place au centre de l' « histoire », mais comme dans Faulkner il n'est pas précisé dans un épisode, même pudique et discret, il n'apparaît jamais que par sous-entendus, le lecteur à peu près libre de décider si le héros du roman, Mathias, en est réellement le coupable.

Nette est la différence entre un romancier aux procédés naïfs, comme Aldous Huxley, qui raconte une histoire logique et finalement très compréhensible, mais en la morcelant et en intervertissant l'ordre des épisodes, et un Faulkner ou un Robbe-Grillet qui jettent de plus là-dessus le halo d'un « brouillage » et d'un « flou artistique ». Chez eux, non seulement la chronologie est bouleversée, mais elle serait parfois à peu près impossible à rétablir, même si l'on tentait de découper et de reconstruire le texte pour y retrouver le fil continu d'un récit.

Huxley n'offre pas les mêmes difficultés. Dans *La Paix des profondeurs*, chaque chapitre porte une date, et l'on pourrait, sans grand effort, reclasser ces chapitres dans leur suite chronologique. Chez Faulkner, chez Durrell, chez les auteurs du « nouveau roman », tout changera de nature. Le brouillage du temps et la complexité de l'évocation romanesque ne permettent plus au lecteur de retranscrire le récit dans un ordre qui lui est familier : il faut accepter que le roman ne soit plus une histoire bien racontée, et ne puisse pas le redevenir. Il est alors — comme dans la sensibilité et dans le cœur d'un homme qui évoque en vain l'histoire de sa vie sans la comprendre —, un écheveau, une séquence d'images dont le raccord n'est pas toujours possible et dont la logique ne s'affirmera jamais. Entre Proust, si mystérieux et si appliqué à la fois, mais si logique encore, et les Butor, les Claude Simon, les Robbe-Grillet, des tentatives un peu artificielles comme celles de Gide ou de Huxley ont historiquement leur sens et leur place : déjà assez complexes, point encore assez sophistiquées, propres à marquer une étape.

*   *
*

Elle est peu évidente dans le roman français, cette étape post-proustienne, car pendant quinze à vingt ans, de Mauriac à Sartre, le roman va se consacrer en France, sous forme psychologique ou métaphysique, à une mise en jeu de la condition humaine : Bernanos, Julien Green, Malraux, Sartre, Camus. Mais ce roman de moralistes prend lui-même ses libertés, découvre un style plus abrupt, un nouveau découpage, un affranchissement à l'égard du récit circonstancié. Les énormes dialogues fracassants de Bernanos — comme la lutte entre Cénabre et Chevance dans *L'Imposture* —, la hauteur que prend le romancier pour dépouiller et livrer les âmes, lui font laisser loin derrière lui le souci de l'intrigue et de la narration; cette apocalypse de la médiocrité, de la damnation et de la sainteté, toute en contrastes, n'a rien de ces « fondus » que recherchait Proust. Mais elle en semble parfois comme une épreuve négative, car, bousculant la psychologie traditionnelle, Bernanos fouille au fond des destins comme Proust plongeait plus doucement dans les eaux de la mémoire. Et, contemporain de Bernanos (par sa période de création romanesque), André Malraux, jetant dans ses romans d'aventure exotique et métaphysique des héros exaspérés, crée un style haletant, haché : fulgurations de la conscience tendue dans l'action. Certains chapitres de *La Condition humaine* sont une série de spasmes. Sous forme de *flashes* violemment vécus, violemment illuminés, ils disjoignent le temps romanesque habituel et les liaisons du récit.

Cette génération de moralistes ou d'existentialistes, nous l'avons d'abord connue et aimée pour une certaine tension psychologique et morale, pour les « problèmes » qu'elle posait dans une vision « tragique » de la condition humaine. Mais cette vision même ne pouvait s'exprimer dans les cadres conventionnels du récit. Sans les refuser, elle les dépassait déjà; et les amateurs de technique romanesque feraient bien des découvertes en étudiant la technique de Malraux, de Bernanos, de Mauriac. Certes, aucun d'eux n'a délibérément entrepris, comme Proust suivi de Gide et de Huxley, ni comme Joyce ou Musil, de faire de l'œuvre romanesque une exploration irradiante, confuse et polyvalente, des rapports de l'homme et du monde. Mais leur écriture romanesque se plie aux exigences passionnées ou angoissées de leurs thèmes, et dans cette passion ils échappent aux règles et aux lois du récit ou, du moins, les modifient, les assouplissent, jusqu'à obtenir presque invisiblement des « effets » comparables à ceux de Proust et de ses successeurs.

*
* *

Cette invisible habileté, cette distorsion du récit, elles s'imposent et s'insinuent, aussi bien, dans les textes romanesques qui à première vue ne produisent aucun effet de surprise. Les grands écrivains de l'époque 1925-1935 y font appel sans presque s'en douter.

C'est ainsi qu'un roman apparemment « classique » comme *Le Nœud de vipères* en 1932 est déjà un

roman complexe où plusieurs époques, plusieurs
tranches de vie, glissent l'une sur l'autre, comme
cela se produira plus de trente ans plus tard dans
tel ou tel roman de Butor, *La Modification* ou *L'Emploi du temps*.

Le procédé employé par Mauriac n'a rien de bien
audacieux à l'origine : le roman est donné comme la
confession qu'un vieil homme écrit dans ses derniers
jours, pour qu'elle soit trouvée par sa femme après
sa mort : « *Tu seras étonnée de découvrir cette lettre
dans mon coffre...* » Ce subterfuge était bien connu
depuis plus d'un siècle, et l'on présentait souvent un
roman comme une confession écrite trouvée dans les
papiers d'un défunt. Simple artifice, dont le but était
que l'on ne confondît pas auteur et narrateur, que
l'on ne vît pas une confession autobiographique dans
un roman. Mais dans *Le Nœud de vipères* intervient
un fait nouveau : la « double durée », le roman se
déroulant parallèlement — et en même temps pour
nous — dans deux époques différentes. Il n'est pas
seulement une confession écrite avant la mort, où
Louis raconterait sa vie passée. Car, comme chez
Proust et chez Butor, en même temps qu'il écrit
cette confession elle réagit sur lui : un vieil homme,
en 1920, commence à rédiger une lettre-confession,
où il rapporte les déceptions de sa jeunesse en 1885.
Mais ses souvenirs de 1885 retentissent sur sa vie de
1920, et ses réflexions de 1920 modifient peu à peu
la signification des faits de 1885. Un va-et-vient
s'institue entre ces deux moments de la durée — sépa-
rés par trente-cinq ans —, et le roman est ainsi écrit
sur deux plans, selon une inspiration invisiblement
proustienne. François Mauriac rend d'ailleurs compte
de cette intention sous-jacente et de cette plongée

à rebours du temps lorsqu'il précise : « Le Nœud de vipères *est*, en apparence, *un drame de famille, mais, dans son fond, c'est l'histoire d'une remontée. Je m'efforce de* remonter le cours *d'une destinée boueuse et d'atteindre à la source toute pure* [1]. » Un « relief temporel » s'institue ainsi, qui est visible dans les temps des verbes, dans les mouvements du style.

Le nœud du livre, on s'en souvient, est le drame psychologique de Louis; adolescent gauche écrasé par une mère austère, rêvant maladroitement de conquêtes féminines, et n'ayant secrètement d'autre but de se dire, qu'une fois dans sa vie, il a pu plaire à une jeune fille. Pendant des vacances d'été, ce grand niais que sa mère cherche à marier a cru trouver cet attrait désintéressé chez Isa Fondaudège et il conclut avec elle un mariage qu'il est le seul à prendre pour un mariage d'amour. Quelques mois plus tard, une confidence d'Isa lui découvre qu'il s'agissait d'un mariage de raison, et qu'Isa aimait un autre, le beau Rodolphe... Voyant sa vie manquée parce qu'il n'a pas été aimé, Louis devient un méchant homme, cet homme haineux que l'on trouve sexagénaire aux premières pages du livre. Dans une chambre de malade, il remâche sa haine pour sa femme, pour la famille de sa femme, pour sa descendance, pour ses neveux; et, en même temps, il revit la déception qui dans sa jeunesse fit peu à peu de lui l'être venimeux et replié sur lui-même qu'il est devenu.

Alors les époques glissent les unes sur les autres et se superposent, le lecteur ne se trouve plus plongé dans un récit continu et chronologique : il assiste

---

1. François MAURIAC : *Le Romancier et ses personnages*, p. 132, Corrêa, 1952.

simultanément à l'évolution de Louis homme jeune en 1885 et à l'évolution de Louis vieillard en 1920, ces deux évolutions interférant l'une avec l'autre, car le souvenir du passé modifie les sentiments dans le présent, et la méditation dans le présent modifie la vision et même la réalité des événements du passé. Les différentes positions du récit dans la « durée », les temps des verbes et la syntaxe rendent compte de ce jeu temporel. « *Tu seras étonnée de découvrir cette lettre* », écrit en 1920 Louis en nous projetant vers un futur qui est celui de sa mort, 1922 ou 1925, bien qu'en même temps il évoque dans un présent très précis sa vie d'égrotant : « *Il est quatre heures, et le plateau de mon déjeuner, les assiettes sales traînent encore sur la table.* » Puis le passé s'impose à travers le présent : « *Le goût de la brouille est un héritage de famille. Mon père, je l'ai souvent entendu racon-ter par ma mère*, était brouillé *avec ses parents* [1]. » Toute la conjugaison du verbe entre en jeu : futur, présent, passé simple, passé composé, passé antérieur. Et avec l'imparfait le récit va se réinstaller dans la narration des événements de 1885 : « *C'était dans cette chambre où j'écris aujourd'hui. Le papier des murs a été changé (...). Le clair de lune éclairait la natte (...). Cet ami, Rodolphe, dont tu m'avais déjà souvent parlé (...), tu prononças de nouveau son nom, ce soir-là* [2]... »

Ainsi le souvenir de 1885 chez Louis nous projette dans une année 1885 qui a elle-même son passé (anté-rieur), sa durée (l'imparfait), ses événements (le passé simple ou composé), et son futur, qui aboutit au présent de 1920. Car c'est en 1920 qu'un vieil homme

1. François MAURIAC : *Le Nœud de vipères*, p. 10.
2. *Ibid.*, p. 17.

ressasse le traumatisme de sa jeunesse de 1885 :
l'année où sa jeune épouse, à plusieurs reprises, lui
avoua qu'elle avait aimé un certain Rodolphe et ne
l'avait épousé lui-même que par dépit... En trente-
cinq années, Louis a eu le temps de remâcher sa
peine et de préparer sa vengeance. Au présent âcre
d'un vieillard se mêlent les haines qu'il a fabriquées
dans l'intervalle, contre ses neveux ou ses beaux-fils,
tandis que s'impose, au premier plan, mais au passé
(et à toutes les formes de conjugaison au passé) cette
saison d'été et de voyage de noces où Louis comprit
qu'Isa ne l'avait pas épousé par amour...

Les premiers lecteurs du *Nœud de vipères* virent
dans ce roman un drame « psychologique », et telle
était sans doute l'intention principale de l'auteur.
Mais, sensibilisés comme nous le sommes aujourd'hui
à la technique d'un roman plus qu'à son contenu
humain, nous pouvons admirer dans *Le Nœud de
vipères* cet art proustien ignoré peut-être de son
auteur lui-même.

III

ROBERT MUSIL
ET « L'HOMME SANS QUALITÉS »

Modifier la structure du roman, en faire un récit qui revient cent fois sur ses pas, dans des va-et-vient et des retours en arrière, truquer la chronologie, ce fut entre 1925 et 1935 un exercice et presque un artifice, dans quelques romans de Gide ou d'Huxley.

Ces exercices d'ingéniosité ne répondaient que partiellement à la révélation proustienne qui se trouve à leur origine. Si subtils que soient les jeux du temps chez Proust, ils restent discrets, impalpables, invisibles... Un autre aspect, plus visible, est la richesse de cette chronique à la fois sociale, intemporelle et très personnelle, que constitue *La Recherche du temps perdu;* une accumulation de faits, d'images, de jugements, de personnages grotesques, vécus ou revécus à travers la personnalité d'un narrateur; une manière de voir la vie et d'accumuler les expériences qui n'est pas celle d'un récit ni d'un roman soumis à une intrigue psychologique ou sociale; un art subtil et patient de savourer ou de récuser ce qu'offre l'existence, de le revivre, de le recomposer, de le juger...

Or, tandis qu'un Gide ou un Huxley s'appliquaient à imiter dans Proust ses procédés les plus visibles,

un autre Proust écrivait en Autriche, puis en Allemagne, puis en Suisse, une autre *Recherche du temps
perdu.*

*
* *

Inconnu en France avant 1957, méconnu en Allemagne et en Autriche lorsqu'il mourut à Genève en
1942, Robert Musil avait entrepris entre 1920 et 1930
cette œuvre significative, dense, inquiétante, ironique, qu'est *L'Homme sans qualités.* Sans collusion
avec ses contemporains Proust et Joyce, il éprouva
en même temps qu'eux le besoin de construire une
somme romanesque qui ne fût pas un roman, qui
ne fût pas un récit. Et cette conjonction est significative. Pourtant, d'abord cadet et jeune officier,
puis ingénieur, puis professeur de philosophie, Robert
Musil n'avait rien de l'homme de lettres. Mais il
consacra vingt années de sa vie à ce mémorial de
prose poétique et antiromanesque qui est son œuvre
principale. Peu importe qu'il ait publié dès 1906 un
roman — récit cruel et sadique, *Les Désarrois de
l'élève Törless;* à partir de 1920, sans appuis, sans
encouragements, sans prédécesseurs, il s'engage dans
une forêt romanesque qui est la forêt de l'antiroman...

Dès l'abord, et trente ans avant le nouveau roman
français, il refuse la convention romanesque du « personnage », en élaborant, de manière foisonnante, les
deux premiers tomes de l'œuvre sur un « héros » de
roman sans romanesque aucun, sur un homme qui
n'est pas un personnage, sur, précisément, *l'Homme
sans qualités.* Il s'appelle Ulrich; nous ne connaî-
trons jamais son nom de famille. Il fut officier; il
fut mathématicien; il n'est plus *rien.*

Le père d'Ulrich, lui, est un « personnage » : un professeur d'université bien typé, qui presse son fils de devenir lui aussi un « personnage », un professeur d'université comme lui... Mais Ulrich vit — non dans la révolte —, mais dans le refus. Il loue à Vienne une maison du XVIIIe siècle, et s'y installe, pour ne rien faire de précis. Ni la carrière militaire ni les joies cérébrales du mathématicien ne l'ont retenu, et il est trop mobile, trop vrai, trop sincère pour « réussir » : « des hommes comme Ulrich, que leur nature entraîne tantôt légèrement au-dessus, tantôt non moins légèrement au-dessous de la moyenne, se voient dépassés [1]... » par les autres, ceux qui sont moyens, réguliers, précis, médiocres. A trente-deux ans, Ulrich est un homme « en congé », dispensé de prendre au sérieux les occupations humaines. Il n'est ni amoureux ni ambitieux — sans liens, et pas même amusé par l'ironie et l'indifférence qui l'habitent. Il ne lui arrivera rien, il n'est susceptible d'aucune aventure, et cela nous est dit dans le premier cha-pitre, dont le titre, parodiant les titres du roman picaresque, est tout simplement : « *Chapitre I. D'où, chose remarquable, rien ne s'ensuit.* »

L'histoire d'Ulrich (qui d'ailleurs n'est pas une « histoire ») est celle de l'homme qui ne croit ni en son époque ni en lui-même : « Je raconterai donc l'histoire d'un homme qui eut des difficultés avec son caractère, ou qui, plus simplement, n'en eut jamais [2]. » Ulrich ne veut rien de précis. Il admet, comme un pis-aller, le monde qui l'entoure, et le traite objectivement, avec politesse et froideur... Dès le long premier paragraphe du livre, on sent ce déta-

1. *L'Homme sans qualités*, t. III, p. 20.
2. *Œuvres préposthumes*, p. 134, Éd. du Seuil.

chement, où toute passion romanesque disparaît
devant une indifférence cosmique : « On signalait
une dépression au-dessus de l'Atlantique; elle se
déplaçait d'ouest en est en direction d'un anticyclone
situé au-dessus de la Russie, et ne manifestait aucune
tendance à l'éviter par le nord. Les isothermes et les
isothères remplissaient leurs obligations. Le rapport
de la température de l'air et de la température
annuelle moyenne, celle du mois le plus froid et celle
du mois le plus chaud, et ses variations mensuelles
apériodiques, était normal. Le lever, le coucher du
soleil et de la lune, les phases de la lune, de Vénus
et de l'anneau de Saturne, ainsi que nombre d'autres
phénomènes importants, étaient conformes aux pré-
dictions qu'en avaient faites les annuaires astrono-
miques. La tension de vapeur dans l'air avait atteint
son maximum, et l'humidité relative était faible.
Autrement dit, si l'on ne craint pas de recourir à
une formule démodée mais parfaitement judicieuse :
c'était une belle journée d'août 1913 [1]. »

Malgré l'ironie, on peut éprouver une impression
de lourdeur devant ces phrases; car, même maniée
par un voltairien mystique comme Musil, la syntaxe germanique passe assez mal dans la langue de
Voltaire, malgré les soins d'un excellent traducteur.
Mais après tout la phrase proustienne est également
exigeante. Et l'art de Musil, dans les premiers tomes
de ce roman qui n'en est pas un, pourrait être défini
comme un art de l'ironie accumulée : patiemment,
longuement, et même lourdement accumulée si l'on
veut, avec, parfois, une pointe plus brillante. Comme,
par exemple, dans ce portrait d'une vulgaire entraî-

---

1. *L'Homme sans qualités*, t. I, p. 9, Éd. du Seuil, trad. Philippe Jaccottet.
Dans les notes suivantes seront indiqués seulement le tome et la page.

neuse qui tient — personnellement et pour son plaisir — à être « distinguée » : « Si Léone considérait
avec une parfaite objectivité la question sexuelle,
elle n'en gardait pas moins son romantisme. Il se
trouvait seulement que tout ce qu'il y avait chez
elle de redondant, de vaniteux, de prodigue, les sentiments de fierté, d'envie, de volupté, d'ambition,
de dévouement, en un mot les moteurs de la personnalité et de la réussite sociale s'étaient par quelque
jeu de la nature, reliés non plus à ce que l'on appelle
le cœur, mais au *tractus abdominalis*, au mécanisme
de l'alimentation avec lequel ils furent d'ailleurs
jadis régulièrement en relation, ainsi qu'on peut
l'observer aujourd'hui encore chez les primitifs ou
chez des paysans en bombance (...). Aux tables du
beuglant où elle se produisait, Léone faisait son
devoir; mais elle rêvait d'un cavalier qui (...) *lui
permettrait de s'asseoir, dans une pose distinguée,
devant le distingué menu d'un distingué restaurant*[1]. »

Tout au long des deux premiers tomes, des personnages plus ou moins épisodiques apparaissent
autour d'Ulrich, et chacun d'eux est traité de la
même manière sarcastique. Musil met souvent autant
de minutie que Proust à les commenter. Mais il reste
un mystère des êtres chez Proust, où les divers portraits, les diverses approches d'un personnage n'ont
pour but que de les rendre de plus en plus insaisis-
sables à travers les images successives que peut s'en
faire le narrateur. Musil au contraire se plaît à trai-
ter ses personnages en mécaniques, les démontant et
les remontant comme un horloger fait d'une montre.
Car ils ne sont pour lui — et ils ne doivent être dans

1. I, 28.

la première partie de *L'Homme sans qualités* — que des fantoches. Le but même de l'auteur, dans tout ce qui constitue introduction et prologue, est d'entourer de marionnettes Ulrich, l'homme qui renonce à avoir un destin.

*
* *

Là se trouve le postulat originel du livre dans ses deux premières parties, postulat qui lui donne son caractère paradoxal. Son héros est un antihéros. Il ne constitue pas non plus un objet d'étude et d'analyse; il est le « sujet » neutre et presque anonyme auquel se rattachera un monde précis et fantomatique à la fois. Et, si une comparaison paradoxale était possible entre ce Musil prolixe et invisiblement épique et un Gide fuyant et mièvre, on trouverait quelque parenté d'attitude, de position fondamentale, entre Ulrich et Tityre, le héros de *Paludes*. Comme Ulrich, Tityre est l'histoire de l'homme sans conviction, « l'histoire du terrain neutre, celui qui est à tout le monde (...), l'histoire de la troisième personne, celle dont on parle, qui vit en chacun, et qui ne meurt pas avec nous [1] ». Et dans le petit récit doucement ironique de *Paludes*, Gide aussi avait évoqué et créé l' « homme sans qualités ». Mais *Paludes* a 96 pages, et le « roman » de Musil en fait plus de 2 000, infiniment plus copieuses.

La volonté est pourtant la même, chez l'un et chez l'autre, de présenter le monde dans une optique non romanesque, ou plutôt, antiromanesque. Certes, l'ancêtre commun de Gide et de Musil est Cervantes; et l'on peut songer aussi au *Tristram Shandy* de Sterne.

1. André GIDE : *Paludes*, p. 86, Gallimard.

Paludes et *L'Homme sans qualités* appartiennent à
une tradition et, à la fin du xixᵉ siècle, Thomas
Graindorge et Jérôme Coignard s'y rattacheraient,
sous forme adoucie. Mais, jusqu'aux années 1920,
l'antiroman était un « en marge » du roman, et dans
le second tiers du xxᵉ siècle il va devenir une métamorphose du roman.

Nul titre ne pouvait être mieux choisi que celui
de *L'Homme sans qualités*. La présence d'Ulrich,
comme faux personnage principal, a pour effet de
déséquilibrer le jeu romanesque, dans la mesure où
Ulrich refuse le jeu dramatique et tragique du roman.
*A l'inverse de don Quichotte, qui vit des épisodes de
la plus grande banalité en les prenant pour événements
romanesques, Ulrich va vivre des actions romanesques
sans y croire, et, par suite, en les « démystifiant ».* Le
résultat est le même.

Tel que le présente Musil, Ulrich échappe à cette
mythologie de l'aventure, ou de la passion, ou de la
peinture psychologique et sociale, qui fait le « roman ».
Au centre d'un roman, il est le négateur du roman :
« Il n'est pas difficile de décrire dans ses grandes
lignes cet homme de trente-deux ans nommé Ulrich,
même si la seule chose qu'il sache de lui-même est
que toutes les qualités lui sont à la fois proches et
étrangères, et que toutes, qu'elles soient ou non
devenues les siennes, lui sont curieusement indiffé-
rentes [1]. » Symbolique est le fait qu'il a renoncé à
avoir un métier, une fonction, une vocation. Lieu-
tenant, il eût pu devenir colonel, général, mais il a
démissionné; mathématicien, il aurait pu devenir
ingénieur, ou professeur dans une faculté, charges

1. I, 196.

prestigieuses dans l'Autriche de 1913. Mais, « négligeant ce devoir social qu'est l'arrivisme », il s'est fait dilettante, dilettante sans passion : « Un beau jour, Ulrich renonça même à vouloir être un espoir [1]. » Et c'est alors qu' « il résolut de *prendre congé de sa vie pendant un an pour chercher le bon usage de ses capacités* [2] ».

L' « homme sans qualités » est ainsi un homme *en sursis;* conscient de « l'étrange sclérose que la vie impose à l'homme [3] », il estime que le problème de l'individu n'est ni romanesque ni social (ambition, carrière, amours, engagements). Sera-t-il métaphysique, ce problème? Non, car Musil se gausse, dans la première partie de son œuvre, de toutes les idéologies fumeuses, éclectiques, tragiques, qui ont navigué sur les premières vagues du xxᵉ siècle, et chaviré dans ses raz de marée. Mystique? Peut-être, puisque à partir du tome III apparaît une sorte d'aventure platonicienne... Mais cette mystique n'est pas une religion : comme chez Proust, comme chez Joyce, comme chez Huxley (Aldous Huxley est, sous forme simplifiée, privée d'art, une réplique exacte de Musil), cette « mystique » n'est qu'un effort d'unité intérieure de l'homme, sans rapports avec Dieu : besoin de se réconcilier avec soi, à travers un langage personnel (lyrique chez Joyce, cérébral chez Musil, émotionnel chez Proust) qui demeure scepticisme à l'égard du monde extérieur et de la vie sociale, et qui va chercher ses sources vives dans l'émotivité première, celle de l'enfant et du jeune homme, que l'homme mûr a trahi.

1. I, 55.
2. I, 60.
3. III, 46.

Aussi Musil est-il possédé du même démon que Proust : consommer par l'art les noces de l'enfant qu'il fut et de l'adulte vieillissant qu'il est devenu. A trente-deux ans, dans cette année de « congé » qu'il s'accorde, Ulrich est dans la même situation que Marcel dans la soirée de vieillards du *Temps retrouvé*, essayant de rejoindre les deux bouts de l'homme dans son existence temporelle, de l'émerveillement de l'enfance aux doutes de l'âge mûr : « Tout ce qu'il pouvait dire, c'est qu'il se sentait beaucoup plus éloigné que dans sa jeunesse de ce qu'il avait voulu être, supposé qu'il l'eût jamais su [1]. » Et ainsi apparaît l'aspect intime et personnel de ce début de l'œuvre : une méditation sur le premier vieillissement, sur ce passage de la jeunesse à l'âge de l'adulte établi. La « *pause* » d'Ulrich est bien une ménopause (ou un refus de la ménopause); crainte et refus qui sont bien caractéristiques d'une certaine inquiétude du moraliste ou de l'artiste au XXe siècle : « Il n'est pas de plus bel exemple de l'inéluctable que celui que nous offre un jeune homme doué se rétrécissant pour entrer dans la peau d'un vieil homme quelconque [2]. » Car autant les troubles et les orages de la jeunesse avaient constitué un thème fort banal dans le premier romantisme, autant la crise de l'adulte et l'acceptation de ses limites constituent un thème de ce second romantisme; et, par exemple, en France, de Proust à Roger Nimier ou à François Nourissier, en passant par Drieu La Rochelle.

La fin de la jeunesse est la découverte de la médiocrité. Symboliquement, à côté d'Ulrich, Musil place

1. I, 59.
2. I, 63.

son ami Walter, écrivain, poète, musicien, esthète
raté, sévèrement jugé et aimé par sa femme Clarisse,
qui assiste, à la fois acerbe et gentille, à l'impuis-
sance créatrice de son mari, tandis que Walter garde
les illusions du velléitaire : « Le cours de sa vie n'était
qu'un enchaînement d'événements bouleversants
d'où ressortait la lutte héroïque d'une âme *résistant
à toute médiocrité, sans jamais deviner qu'elle ne ser-
vait ainsi que sa propre médiocrité* [1]. » Ce serait là
presque le cas d'Ulrich lui-même; mais Ulrich en est
conscient, et, par là, cesse d'être dupe.

Impossible, pour l'homme qui voudrait prendre au
sérieux sa vie (et, donc, la transformer en roman),
d'accepter son rôle de personnage romanesque dans
un monde auquel il ne croit pas. Car Ulrich est
malade de la maladie du xxe siècle, il ne peut, sin-
cèrement, accorder ni son estime, ni son amitié, ni
sa passion, au monde dans lequel il vit. Il lui semble
que son époque est en dissolution, et, par là, il ne
peut vivre lui-même que dans l'incertitude mystique
et le provisoire spirituel : « Ulrich se réduisait à cette
sorte de dissolution intérieure qui est commune à
tous les phénomènes contemporains [2]. »

Ainsi apparaît un second thème : non plus l'em-
barras de l'individu entre le merveilleux de l'enfance
et la vie sordide ou plate des adultes, mais son hési-
tation devant un monde dont l'évolution est si rapide
qu'il en devient liquide, inconsistant, incapable de
soutenir ce poids qu'est une conscience humaine
exigeante. Dans ce milieu évanescent et trop fluide,
l'homme devient un « nageur mort », comme l'est
Ulrich. Ce serait là le propre du xxe siècle de ne

1. I, 65.
2. I, 84.

plus offrir à l'homme qui voudrait poser ses pieds
sur le sol que des sables mouvants, des lagunes, un
univers liquide... « Les quatre éléments commencent
par devenir des douzaines, et nous finissons par ne
plus flotter que sur des rapports, des réactions, sur
l'eau de vaisselle des réactions et des formules [1]. »
La terre manque sous le pied, les images cosmiques
ou les agrégats humains se dissolvent, laissant l'individu s'enfoncer dans les marais : « Aujourd'hui,
l'homme porte encore en lui, si l'on peut dire, l'ensemble de l'humanité; mais c'est déjà, visiblement,
une trop lourde charge, un effort inefficace; de sorte
que l'humanité n'est plus guère qu'un attrape-
nigaud [2]. » Et, avec le siècle, l'évolution de l'humanité serait responsable de cette solitude et de cette
faillite : « Il est probable que la désagrégation de la
conception anthropomorphique qui, pendant si longtemps, fit de l'homme le centre de l'univers, mais est
en passe de disparaître depuis plusieurs siècles déjà,
atteint enfin le Moi lui-même; la plupart des hommes
commencent à tenir pour naïveté que l'essentiel, dans
une expérience, soit de la faire soi-même, et, dans
un acte, d'en être l'acteur [3]. »

* *
*

Ulrich est en effet un observateur qui ne croit pas
au monde qu'il observe, mais seulement à la technique selon laquelle on peut décomposer ce monde
en une analyse spectrale. Toutes les lois du roman
s'en trouvent bouleversées. Car cette vie d'homme

1. I, 86.
2. II, 58.
3. I, 195.

en disponibilité doit être faite non d'aventures ayant
un sens et une résonance dramatiques, mais d'épisodes à la fois naturels et incongrus, qui donnent le
sentiment de l'irréalité de la vie, et de son peu de
sérieux.

Ainsi, dans le tissu de lentes réflexions sceptiques
qui forme le début de l'ouvrage, la première anecdote
qui se dégage reste froidement pittoresque, insigni-
fiante et bizarre à la fois, comme une forme atténuée
de l'absurde : une nuit, cheminant un peu tard dans
les rues peu fréquentées, Ulrich se heurte à trois
hommes ivres qui cherchent à se distraire en l'assom-
mant. Pendant tout le combat, sur le trottoir, Ulrich
— ancien élève de l'École des Cadets —, s'amuse
beaucoup à observer ses propres réflexes, se donnant
des bons points ou de mauvais points dans les passes
de boxe qu'il effectue, à la fois témoin et acteur d'une
rixe sans intérêt. Une fois qu'il est étendu, fort mal
en point, dans le ruisseau, il a la chance d'être secouru
par un taxi qui s'arrête près de lui, et par la pas-
sagère du taxi, une dame à la figure angélique. Soigné
par cette Providence, Ulrich l'appelle ironiquement
« Bonadea », et devient son amant. Non par amour,
ni même par entraînement; simplement par goût de
profiter, de manière un peu désabusée, des circonstances, et peut-être par plaisir aussi, de nous laisser
d'elle un petit portrait simple et cruel : « Elle était
la femme d'un haut personnage en vue et la tendre
mère de deux beaux garçons. Son expression favorite
était le mot « convenable »; elle l'appliquait aux
humains, aux domestiques, aux affaires et aux sentiments, quand elle voulait en dire du bien. Elle
était capable de prononcer les mots « le Vrai »,
« le Beau », « le Bon », aussi naturellement et aussi

fréquemment qu'un autre dirait le mot « jeudi » (...).
Elle n'avait qu'un défaut, et c'était que la seule vue
d'un homme l'excitât dans des proportions extra-
ordinaires. Elle n'était absolument pas lubrique; elle
était sensuelle comme d'autres souffrent de telle ou
telle affection, comme par exemple d'avoir les mains
moites (...). Que ses sens fussent excités, elle devenait mélancolique et bonne (...). Mais entre deux
crises, dans ses moments de remords entre deux
faiblesses qui lui découvraient sa misère, elle débor-
dait de prétentions à la respectabilité qui rendaient
sa fréquentation singulièrement compliquée [1]. »

On peut sourire de cette Bonadea, et de l'aventure d'Ulrich. Mais sans cesse vont se suivre des
épisodes semblables, avec des « personnages » aussi
froidement traités : l'analyse psychologique confine
avec le persiflage, le sens de la vie devient le sens
de l'ironie, et tout le premier mouvement de cette
symphonie du scepticisme mystique qu'est *L'Homme
sans qualités*, est fait du grossissement, du déferle-
ment de cette vie sociale et de ces êtres humains
mécanisés qui s'accumulent, comme une collection
de pantins, dans une gigantesque fresque absurde,
froide, gratuite.

*
* *

Voulant écrire une épopée ironique et sans merveilleux, qui traduise le vide humain du xxe siècle,
Robert Musil a choisi pour cadre la « Cacanie » :
l'Empire austro-hongrois en 1913, tel qu'on peut
le voir de Vienne, dans les milieux proches de la

1. I, 52-53.

Cour. C'est un monde solennel et frivole, inutile, baroque, et qui s'écroulera cinq ans plus tard. Or c'est après 1920 que Musil a fait ce choix; c'est donc volontairement, par défi et par ironie, qu'il évoque un univers qui a déjà basculé dans le passé. Son intention est parodique, dépourvue de toute nostalgie, et, pour l'Autrichien qui écrivait à partir de 1920 *L'Homme sans qualités*, l'Autriche de 1913 est un mythe de dépaysement, un jeu quasi surréaliste : désabusé certes, mais courtois, l'Ulrich qui vit en 1913 s'y trouve engagé dans un monde absurde, presque kafkaïen pour le Robert Musil qui écrit en 1925 ou 1928 et surtout pour ses éventuels et futurs lecteurs.

★
★ ★

C'est pourquoi l'intrigue apparente des deux premiers volumes sera, non pas satirique — car on ne fait pas la satire de ce qui n'existe plus —, mais discrètement bouffonne, jusqu'à la limite de l'absurde et de la farce, si, de l'absurde, on exclut le sentiment tragique, et si, de la farce, on exclut le grossissement rabelaisien. Homme sans ambition, ayant déjà renoncé à deux carrières, Ulrich accepte de bonne grâce, consciencieusement et avec indifférence, les sollicitations du hasard, ou plutôt celles d'une société courtisane dont on l'invite à faire partie. Hautement recommandé par un père pointilleux qui a su conquérir une certaine autorité à force de relations bien ménagées, Ulrich va se présenter au comte Stallburg, au château impérial et royal de Cacanie, puis à Son Altesse le comte Leinsdorff. Ministres, hauts fonctionnaires, prudemment retranchés derrière leurs bureaux, cérémonieux et affables, indulgents et courtois, le reçoivent bien, le complimentent, le renvoient d'un ministère à l'autre, et les audiences qu'obtient Ulrich rappellent, dans un style élégant et frivole, le chemin de croix de K. dans *Le Procès* de Kafka.

D'ailleurs, ce que l'on peut appeler l' « intrigue » — ou tout au moins le fil conducteur — des deux premiers tomes est tout aussi absurde qu'un mythe kafkaïen, mais dans un autre style : au lieu du style tragique, une comédie sarcastique et froide. Ulrich entre involontairement, mais avec la dignité et l'apparente innocence du sceptique caché, dans une invraisemblable et solennelle comédie viennoise.

L'affabulation que choisit ici Robert Musil est d'un grotesque sublime, déjà fort sensible en 1928 — et, évidemment, exagéré par l'anachronisme en 1966. Car, en 1913, la grande préoccupation de la haute société viennoise est le jubilé que l'Allemagne prépare pour son empereur Guillaume II, qui accomplira trente ans de règne en 1918. De cette manifestation jubilaire, Vienne est jalouse, car l'Autriche pourrait, elle, fêter les soixante-dix années de règne de son empereur François-Joseph. Il faut donc « contrer » les Prussiens, les surprendre, faire mieux qu'eux, et, pour cela, préparer dès 1913 le Grand Jubilé de l'empereur François-Joseph, empereur de la paix : une véritable conjuration palatine et courtisane s'organise en ce sens, pour faire de cette grande année un événement mondial, en hommage à ce grand pacifiste que fut le père, le roi, l'empereur d'Autriche, Hongrie, Tchéquie, etc. Et l'ironie de Musil sur ce thème est presque lourde, mais très symbolique, et en quelque sorte allégorique, puisque c'est après 1925 qu'il écrit l'épopée de ceux qui préparaient, dès 1913, le triomphe jubilaire de François-Joseph et de Guillaume II en 1918.

Dans le Comité d'organisation du jubilé, où figurent les plus hautes personnalités, Ulrich, l'homme disponible et neutre, bien recommandé, bien protégé, devient secrétaire général. Avec beaucoup de sérieux et beaucoup de détails, l'ironie restant très voilée, Musil décrit les séances de ce Comité : solennelles réunions, pédantes et creuses, où l'on agite de hautes et vagues idées philosophiques et politiques, pour décider de créer des « Soupes populaires François-Joseph »... Si importante, si grave, si sublime paraît l'idée de préparer cinq ans à l'avance le jubilé du vieil empereur, qu'on la traite comme une conspiration et que l'on organise autour de ce projet toute une série d'institutions et de groupes d'études. On pèse le moindre mot d'une déclaration qui ne signifie rien. Et, surtout, il est bien interdit aux membres du Comité d'avoir une idée; ce serait trop tôt : les idées se dégageront lentement d'une certaine maturation, le Comité n'est là, en somme, que pour créer le vide qui doit attirer et susciter les idées... Attitude politique bien connue...

Cette affabulation volontairement froide, postiche, teintée d'invraisemblance et d'indifférence, permet tout au moins à Musil de grouper des personnages précis et caricaturaux, le général Sturm von Bordwehr, le secrétaire d'État Tuzzi, l'industriel allemand Arnheim, et de les engager — en deux gros volumes — dans un lent ballet de visites réciproques, et très sérieuses tractations sur des pointes d'épingles, que Musil relate avec le plus grand sérieux. L'ironie n'est visible que dans les titres des chapitres, écrits dans le style de l'ancien roman picaresque : « Chapitre 35 : M. le directeur Léon Fischel et le Principe de Raison insuffisante. Chapitre 36 : Grâce au principe susnommé, l'Action parallèle (c'est le nom du Comité) devient quelque chose de tangible avant même qu'on sache ce qu'elle est. Chapitre 37 : Par l'invention de l' « Année autrichienne », un publiciste crée au comte Leinsdorf de gros ennuis. Son Altesse appelle Ulrich de tous ses vœux »...

A ce Comité à la fois très grave et très fantomatique, il faut une « âme », une animatrice et confidente. Ce sera la très belle Ermelinda Tuzzi, femme du secrétaire d'État, et qu'Ulrich surnomme intérieurement Diotime. Affable, à peine un peu hautaine, pénétrée de grandes idées à la fois morales et vagues, elle reçoit tout le monde, ménage des entrevues, sans pour autant donner l'impression d'intriguer : c'est une « inspiratrice », qui insuffle à tous le fluide douceâtre de sa conviction et son élévation de pensée, passant pour la femme la plus cultivée et la plus « spirituelle » de Vienne. C'est que, de son vrai nom Hermine, Diotime est une ancienne maîtresse d'école qui épousa autrefois un vice-consul ambitieux. De sa formation scolaire, elle a retenu quelques notions pseudo-philosophiques élémentaires, vagues et académiques, qu'elle récite doucement avec assurance, et qui passent pour de très hautes pensées...

Le lent déroulement de cette farce, traitée avec une application sarcastique, est destinée à faire sentir, autour d'Ulrich et chez Ulrich, la vacuité de la vie et du monde. En opposition à cette copieuse comédie, un cas précis attire l'intérêt d'Ulrich, un « cas » brutal, concret, bizarre, erratique; pour on

ne sait quelle raison — ou, plutôt, en réaction devant
ce monde cérémonieux et frivole —, Ulrich se passionne pour l' « affaire Moosbrugger » : un être fruste,
rudimentaire, écrasé par le monde. Manœuvre et
charpentier, illettré et autodidacte, Moosbrugger a
tué, sans le faire exprès, une prostituée qui s'atta-
chait à lui, qui lui faisait peur. Dans ce meilleur
des mondes, il est le « sauvage ». Au cours de son
procès, il se conduit de la façon la plus naïve et la
plus extravagante, car son seul souci est de s'y montrer pédant, et, utilisant des lectures mal digérées
de psychologie et de droit, de se charger lui-même
pour avoir le plaisir de s'exprimer savamment. Dans
sa prison aussi, il exprime une attitude de l'homme
devant l'homme qui est celle de l'antihumanisme, celle
de l'*Érostrate* de Sartre : « Il était parfaitement
heureux de n'avoir droit à aucune visite. Il avait
peine à supporter les hommes. Ils avaient souvent
une façon de cracher ou de hausser les épaules telle
qu'on en devenait tout à fait désespéré et qu'on avait
envie de leur donner des coups de poing dans le dos
comme pour faire un trou dans le mur [1]. »

C'est à ce « monstre », à cet être singulier, que
s'attache Ulrich, qui essaie de sauver ce condamné
à mort, et qui y intéresse aussi Clarisse. Car l'amie
d'enfance Clarisse, l'épouse de ce raté qu'est Walter
(c'est-à-dire de ce que serait Ulrich s'il avait une
vocation), Clarisse est le double féminin, exacerbé,
faible, mais pathétique, de l' « homme sans qualités ».
Et ce sont seuls les rapports d'Ulrich et de Clarisse
qui fournissent une certaine progression psychologique et dramatique à ces deux volumes. Progression

_____

1. II, 105.

qui n'aboutit pas, car dans le tome III apparaîtra
un nouveau personnage féminin et, avec lui, un
mythe.

*
* *

Dans ce premier massif de *L'Homme sans qualités*,
les deux grands thèmes de Musil restent les thèmes
d'un moraliste, bien que d'un moraliste désespéré :
dissolution du Moi chez l'homme, liquéfaction de la
civilisation autour de lui. Ces thèmes, on les retrouvera aussi bien chez Kafka, chez Julien Green, chez
Spengler, chez Joyce. Et l'on sera étonné, en lisant
un texte écrit en 1925 sur l'époque 1913, d'y trouver
les angoisses du monde de 1966, c'est-à-dire l'abus
de la publicité, la surpopulation, la préfiguration
des Assurances Sociales et des Comités pour la Paix
universelle, la planète enlaidie par les Habitations
à Loyer Modéré, l'ivresse de la vitesse, les *gadgets*,
les *starlets*, les femmes de ministre, les théoriciens
de la guerre absolue ou relative, la frénésie des labo-
ratoires et des cours du soir, la technocratie, les
magazines... En ce sens, et bien qu'il place son
action dans le pays le plus suranné de l'Europe à
ce moment-là, Musil est prophète et visionnaire...
Kafka n'avait-il pas décrit à l'avance les camps de
la mort?
En tant que moraliste, idéologue sceptique, esthète
et métaphysicien nostalgique dans un monde pata-
physiqué, Musil se rattache à l'époque 1925-1945, à
celle d'Huxley, de Malraux, de Jünger, de Sartre,
de Camus : celle qui étudia l'attitude de l'individu
révolté et le problème de la condition humaine devant
un monde moderne effervescent, abrutissant et abu-
sif. Mais dans le monde d'après 1945, dans le monde

qui a renoncé à poser les questions morales, Musil
a aussi sa place, avec son héros Ulrich. Car l' « homme
sans qualités » n'annonce pas seulement une certaine
forme de désespoir sceptique et stoïcien, il exprime
aussi une certaine *attitude romanesque*, celle qui nous
intéresse ici : un art abstrait et « désengagé », celui
de l'homme qui, ayant renoncé à juger, définir ou
combattre le monde où il vit, s'intéresse, en « spé-
cialiste », en esthète, en « écrivain », à la *forme de
vision* que l'on peut en prendre : « Tandis qu'il se
laissait porter de-ci de-là au sein de la petite activité
stupide dont il s'était chargé, aimant à trop parler,
vivant avec *l'obstination désespérée d'un pêcheur qui
plonge ses filets dans un fleuve vide*, tandis qu'il ne
faisait rien qui correspondît à la personne que malgré tout il représentait, et qu'intentionnellement il
ne faisait rien, il attendait [1]... »

Cette attente, qui est aussi une *attention*, ce sera
bien celle du roman non moraliste, non social, non
psychologique, qui ira de Proust et de Virginia
Woolf à Robbe-Grillet. Dans cette optique, dont le
postulat est que le monde (disons, si l'on veut, le
monde actuel) est indéchiffrable, il ne s'agit plus de
commenter, ni surtout *d'expliquer* un univers romanesque créé à cet effet, mais de le livrer à l'état
brut, vu par un œil myope ou presbyte, vu par un
homme qui n'a aucune opinion ni aucune thèse politique ou sociale.

Par là, Musil est le contemporain de Proust, de
Joyce, d'un Kafka déjà posthume, et l'annoncia-
teur d'un « nouveau roman » qui ne prendra forme
qu'après 1950.

1. I, 337-338.

*
* *

A la fin du tome II, les fausses intrigues utilisées
par Musil dans ce faux roman s'en vont à vau-l'eau,
comme il arrive aussi bien, dans les mêmes années,
dans *les Faux-Monnayeurs* où Gide, sans avoir les
mêmes intentions, avait renoncé aussi, par expérience de destruction des cadres romanesques, à
l'intrigue unilinéaire et dramatique du roman traditionnel. Musil ne peut indéfiniment « soutenir » la
fable d'un Ulrich inerte et ironique devant un monde
vain; l'accumulation des épisodes invisiblement caricaturaux aboutirait à une sorte de sottisier, à un
Bouvard et Pécuchet transporté dans la haute société
viennoise et commenté par un Flaubert flegmatique.
Il y aura donc rupture entre le tome III et les
volumes précédents, car Musil introduit un thème
nouveau, susceptible d'un développement romanesque.

Jusque-là, Musil avait montré, avec Ulrich, que
l'homme est un *être incomplet*, et que la société ne
saurait — au xxe siècle tout au moins — lui apporter son complément; de Dieu, il n'est point question.
Le mal et la souffrance viennent du fait que — comme
Musil l'a développé dans les deux premiers tomes
— la vie humaine est *fragmentaire* : « On en arrive
quelquefois à penser que tout ce que nous vivons
n'est que fragments détachés et détruits d'un Tout
ancien que l'on aurait mal restauré [1]. » Et l'on sai-
sira là quelque parenté entre Proust et Musil, bien
que les images de l'unité et de l'éternité soient différentes chez eux.

1. II, 107.

Mais on peut réimaginer, par quelque fable, un effort vers l'unité du Moi. Que l'homme puisse atteindre à la plénitude, peut être l'objet d'un rêve. Ce rêve, Proust le trouva dans une lutte de l'Art contre le Temps. Musil l'ébauche dans un mythe platonicien, qui est celui de l'hermaphrodisme, tel qu'on le trouve dans *Le Banquet*, mais entièrement renouvelé. Car si, selon Platon, chaque être cherche sa « moitié perdue » dans une union qui peut être bisexuelle ou monosexuelle, Musil se montre tout aussi audacieux dans l'imagination mythique : il utilise le thème doux et pervers de l'inceste familial. Chaque homme a une sœur, chaque sœur a un frère; et l'union — platonique ou charnelle — du frère et de la sœur est une image symbolique de l'unité originelle retrouvée.

Alors commence, dès le premier chapitre du tome III, la merveilleuse aventure d'Ulrich et d'Agathe. Entre le frère et la sœur, qui ne se sont à peu près pas revus depuis la fin de leur adolescence, la rencontre se produit dans la grande maison déserte, maintenant un peu étrange, où leur père vient de mourir. Arrivée depuis plusieurs semaines, Agathe y accueille Ulrich appelé par télégramme. Ils s'installent un peu à l'improviste, en voyageurs sans bagages, et, ayant emprunté de vieux vêtements, ils se rencontrent brusquement dans le salon, revêtus tous deux de deux antiques pyjamas identiques : « Je ne savais pas que nous fussions jumeaux! » dit Agathe — et son visage s'éclaira de gaieté[1]. »

Dans la demeure mortuaire du vieux professeur, dans ce que Musil appelle « la poésie de l'heure tes-

---

1. III, 15.

tamentaire [1] », cette scène est symbolique. Elle
annonce le thème platonicien de l'inceste spirituel.
Elle réunit Agathe et Ulrich, devenus dans leurs
pyjamas d'emprunt jumeaux et hermaphrodites; tout
le tome III ne fera que reprendre ce « motif » et le
développer. Mais c'est là un procédé entièrement
neuf à l'époque dans le roman, même s'il se vulgarise
trente ans plus tard et prend souvent sa valeur dans
l'art cinématographique : donner à un épisode réel,
et somme toute réaliste, une valeur *symbolique*. Sauf
Nerval, sauf les romantiques allemands, seul Joyce
avait utilisé ces « correspondances », ces « images
annonciatrices », que l'on retrouvera, plus tard, chez
Malcolm Lowry ou chez Durrell...

Pourtant, il n'y a rien de trouble ni d'appuyé
dans cette intimité nouvelle et forcée du frère et
de la sœur après la trentaine. Tandis que défilent
les entrepreneurs des pompes funèbres, les notables
et les généraux venus pour l'enterrement, Agathe
et Ulrich campent dans la maison de leur père.
Plus que les ententes oubliées de leur ancienne adolescence, de nouvelles complicités les lient : par
exemple la nécessité, pour répondre à un vœu du
mort, d'aller, sur la redingote du cadavre, rempla-
cer les « fausses » décorations par les « vraies » (car
tout notable autrichien avait deux exemplaires de
ses ordres et insignes, et devait être enterré avec
les « faux », les « vrais » devant être rendus à la
Chancellerie d'État). Quelques épisodes savoureux,
quelques obligations communes, et cet état de
vacance où ils se trouvent (Agathe a résolu de son
côté de répudier son mari, professeur tyrannique et

1. III, 45.

pédant), leur permettent de se connaître, de se reconnaître, de se découvrir : « Ulrich lui aussi le sentait :
ils n'avaient rien d'autre à faire qu'à être ensemble[1]. »
Ils sont tous deux, au début de l'âge mûr, désabusés
et vivants. Ils parlent, car ce sont des cérébraux,
parvenus au même point, l'un et l'autre, de leur
vie : à un certain point mort qui est celui de leur
âge chez les êtres de qualité. Et pendant de nombreux chapitres, à travers d'infimes épisodes sans
romanesque inutile et sans sous-entendus douteux,
s'installe en eux et entre eux une « fraternité » qui
est à la fois « naturelle » et extrêmement profonde.
A vouloir la définir, on l'appellerait, comme finira
par le faire Ulrich, un « hermaphrodisme de l'âge[2] ».
Car, avec Agathe, Ulrich trouve son *complément :*
un être complémentaire de lui-même, puisqu'il est
féminin, mais qui ne peut avoir à son égard les
défauts de la femme, puisque pour lui elle ne peut
être Femme. C'est ainsi qu'il l'admire, assise devant
lui, charmante et fraternelle, comme un être qui est
à la fois un camarade, et, pourtant un être de sexe
différent : « Elle est mon ami, et me présente pourtant (en elle), avec beaucoup de grâce, une femme,
songea Ulrich. Qu'elle en soit vraiment une, voilà
une belle complication réaliste[3] ! »

Et ainsi, dans la campagne autrichienne, dans les
bois mouillés de l'automne, ils marcheront côte à
côte en des promenades, le frère et la sœur, s'arrêtant pour boire du lait dans une ferme où on les
prend pour des amoureux. Discutant entre eux, discutant beaucoup, remettant en question la vie et

1. IV, 405.
2. III, 301.
3. III, 344.

le monde. Car, mieux que deux hommes, mieux qu'un homme et une femme, le couple symbolique et intellectuellement incestueux du frère et de la sœur, est pour Musil le seul couple humain où la discussion, l'analyse, la confidence, socratiques ou pédantes, puissent trouver l'unité du Logos... « Souvent Ulrich ne voyait plus, dans tout ce qu'Agathe et lui entreprenaient, voyaient et vivaient, qu'une métaphore [1]... »

Tel est le grand thème que Musil introduit dans le troisième mouvement de sa symphonie. Un thème audacieux, devant lequel il hésite, comme hésite son héros Ulrich : « Une aventure est décrite ici qu'il ne pourra jamais approuver; un voyage aux confins du possible, qui leur faisait frôler les dangers de l'impossible, de l'anormal, du scandaleux même, et peut-être pas toujours frôler seulement; un « cas limite », ainsi qu'Ulrich l'appela plus tard, d'une valeur limitée et particulière, rappelant la liberté avec laquelle les mathématiciens recourent à l'absurde pour atteindre à la vérité [2]. »

Peu importe le développement que Musil aurait pu donner à ce thème (le tome IV de *L'Homme sans qualités* est fait de fragments et d'ébauches); et nous savons que l'aventure d'Ulrich et d'Agathe aurait dû les amener dans une île de la Méditerranée (symbole d'évasion et de paganisme pour les germaniques) où l'inceste serait devenu réel...

Mais l'important n'est pas dans une des inflexions possibles de cette œuvre inachevée. L'important est dans l'existence de cette œuvre : que ce soit dans le massif « cacanien » des deux premiers tomes, ou

1. IV, 407.
2. III, 122.

dans le massif intellectuel et mystique du tome III, *L'Homme sans qualités* est, après Proust et Joyce, une des grandes œuvres narratives en prose qui refusent la *forme romanesque*.

* *
*

« *Tout le monde se rend compte aujourd'hui qu'une vie sans forme est la seule forme qui corresponde à la multiplicité des volontés et des possibilités dont notre vie est pleine* [1]. » Cette déclaration de Musil — presque inconnu jusqu'en 1950 — pose le dilemme du roman-œuvre d'art au xxe siècle. Ce roman ne peut plus toujours être une histoire bien contée, une confession ou un reportage (*Les Désarrois de l'élève Törless* sont un reportage), il doit renoncer à une certaine forme imposée, pour accueillir les hasards et les inspirations de la poésie, de l'allégorie, du symbole, de l'art...

Musil n'apporte pas un langage nouveau, ni même une optique nouvelle. Il écrit sans effets lyriques ou artistiques, il ne violente pas les mots comme le fait Joyce. Son style est celui d'un intellectuel et d'un cérébral. Comme Proust, il *commente* ses personnages plus qu'il ne les fait vivre, et si sa sensibilité est plus large que celle de Proust, elle est infiniment moins riche et moins nuancée, elle ne constitue pas un élément qui attire l'intérêt sur lui. Musil, très souvent, analyse et disserte comme son contemporain Aldous Huxley dans *Contrepoint* et *La Paix des profondeurs*. Bien qu'il réprouve le verbiage philosophique, le verbiage philosophique ne lui est pas

1. III, 288.

toujours étranger : les dissertations sur l'état du
monde, l'évolution des civilisations, les diverses mystiques, le mécanisme des fantoches humains. Mais il
est infiniment moins simpliste que Huxley; plus
compliqué, plus secret, plus subtil. Verbeux, certes.
Mais Rabelais l'était bien, sur le mode truculent;
Musil l'est sur le mode cérébral. Enlever à sa *grande
épopée sarcastique* tout ce qu'elle comporte encore
de Herr Doktor Professor déguisé et honteux serait
la dénaturer, et il faut la prendre telle quelle.

Telle quelle, elle est un énorme bloc erratique
de scepticisme mystique dans le premier tiers du
xxe siècle, et, sur le plan formel qui nous intéresse
ici, un événement et un témoignage : un ouvrage
« romanesque » dont la structure refuse le « roman »
pour devenir une sorte d'épopée et de mythe.

IV

PROUST : ROMAN ARTISTIQUE
ET ROMAN PHÉNOMÉNOLOGIQUE

UNE Somme pararomanesque comme *L'Homme
sans qualités* montre qu'au début du xxe siècle
un Musil ou un Proust (sans compter Joyce ou
Kafka) avaient voulu demander au *roman* autre
chose qu'un *récit*, ou même qu'une analyse, une
étude sociale, une étude de mœurs. Avec eux et
avec leurs contemporains apparaît une intention que
l'on pourra appeler « phénoménologique », et que
confirmera la vogue de la phénoménologie chez les
philosophes et les critiques après 1940. Dans cet
univers romanesque indécis où se mêlent subjectivisme et objectivité, le roman n'est plus une histoire,
mais une mêlée de sensations, d'impressions, d'expériences. Il n'est pas « tout fait », présenté à l'avance,
mis en forme et sous emballage par un conteur expé-
rimenté. Il est proposé au lecteur comme une matière
fluide, poétique, énigmatique, et, au lieu d'y suivre
le fil d'une intrigue, on y errera comme dans un
rêve, ou comme dans la vie. Car il ne rapporte plus
l'histoire d'un héros de roman dans un monde donné
et défini; il exprime au contraire les déformations et
les fluctuations du monde devant les yeux d'un héros
(ou d'un lecteur) qui luttent pour mettre au point

leur vision d'un monde objectif, qui n'y parviennent
pas...

Dans le *récit* traditionnel, les « personnages » étaient
des pions sur un échiquier. On s'intéressait à la
« psychologie » d'Ellénore dans *Adolphe*, à celle de
Julien Sorel dans *Le Rouge et le Noir;* mais Ellénore
était « située » comme une demi-mondaine, Julien
Sorel comme un plébéien ambitieux. Il était alors
loisible de suivre leur aventure personnelle, de trouver dans tel chapitre d'*Adolphe* un « échec à la reine »,
et de s'intéresser à la partie que mène Julien Sorel,
jusqu'à intervenir pour lui dire : « Attention, votre
fou est en péril, votre tour est mal placée. »

Si passionnants que fussent en eux-mêmes les
personnages et les héros du roman-récit du xixᵉ siècle,
ils étaient *définis* et placés sur l'échiquier. Ils peuvent
nous intéresser plus que le monde qui les entoure,
mais *ils n'existent pas sans lui.*

Au contraire, chez Proust, chez Musil, chez Kafka,
peut-être chez Joyce et chez Virginia Woolf (puis
chez Michel Butor et Alain Robbe-Grillet), tout se
trouve inversé : *ce n'est plus le héros du roman qui
est situé dans le monde où il vit; mais c'est la vision
du monde « réel » qui est soumise aux rapports du
héros et du monde.* Le « fond de tableau » n'est plus
la « réalité » (une réalité objective sur laquelle se
découpe la silhouette du personnage); mais c'est la
conscience du héros du roman qui domine le roman,
et le « monde réel » n'existera que dans la mesure
où il est reflété par cette conscience.

A cette vision romanesque, on aurait donné en
1890 la qualification d' « impressionniste » ou de
« subjectiviste ». On dit de nos jours « phénoménologique ». Chaque époque a droit à son pédantisme

propre. Toujours est-il que l'amateur de récits bien composés y trouvera une vision « brouillée », une vaste image romanesque se déployant en légende, mais où l'homme n'est plus défini par rapport au monde. C'est au contraire l'homme qui met le monde en question, et le roman est fait d'une interrogation de l'homme non sur le monde, mais sur sa vision du monde. Il y a une « révolution proustienne », comme il y eut une « révolution kantienne ». Car Proust avait été le premier à renverser les rôles entre l'homme et le monde.

*
* *

Le problème posé par Proust n'est plus celui de la réalité (ni aussi bien du rêve), mais celui de *notre représentation de la réalité*. L'objet de l'artiste n'est plus le Réel, ni l'Irréel, ni l'Imaginaire, ni même l'Absolu. L'artiste ne se consacre plus à évoquer ce qui est « vrai » ou ce qui devrait ou pourrait l'être : il se voue à étudier notre perception, nos mythes, nos images. Ce que Proust suggère, c'est que personne ne peut faire un portrait du duc de Guermantes ou de Saint-Loup, ou d'Albertine. Car il y a eu, dans le Temps, mille Saint-Loup ou Albertine, qui ont varié : à la fois en eux-mêmes, et aussi dans l'image que nous nous en faisions. Cela fait, au total, un million de Saint-Loup, ou de Guermantes, ou d'Albertine... L'artiste brutal, puissant romancier réaliste ou peintre convaincu, à la Courbet, saisissait par le cou une de ces images (sur un million), et en faisait un livre ou un tableau, où Charles Bovary et le fossoyeur d'Ornans se trouvaient figés et daguerréotypés dans une pose éternelle.

Cet artiste frêle que fut Marcel Proust, héritier d'un vague parasymbolisme inquiet et critique, rejette cet art de cartes postales et de « typification ». L'art ne doit plus être fait de photographies hâtivement prises, mais, plus subtil, il deviendra *délectation et inquiétude de l'homme devant ses images.* Il n'y a pas de « monde réel », psychologique, social ou autre, dont nous puissions tirer, en bons photographes, des « clichés » objectifs et instructifs, mais, seulement, en chacun de nous, une sorte de concours d'images dont, individuellement ou collectivement, nous tirerons des MYTHES, c'est-à-dire un fourmillement de représentations sans cesse changeantes d'une « réalité » impossible à atteindre. L'art consiste alors à jouer de ces images, à les aviver, à les confronter, à secouer sans cesse le kaléidoscope...

N'était-ce pas aussi l'art d'Henry James, qui joua dans les pays anglo-saxons le même rôle que Proust en France? « *La multiplicité des personnages — leurs contradictions, leur cristallisation lente et nuancée — constitue un effet que James appelle la grisaille.*

« *Dès ses origines, le roman cherche à se débarrasser d'esquisses trop rapides et évolue vers une peinture de plus en plus subtile. Chez Dickens, chez Victor Hugo, on trouve des types ou blancs ou noirs qui respirent encore le mélodrame. Les tons sont vibrants sans gradation. Mais, à mesure que le siècle vieillit, il devient plus fin. On eût pu croire que Flaubert, Maupassant, Thomas Hardy, George Eliot et leurs contemporains avaient déjà exprimé la nature humaine dans toute sa complexité. Pourtant, chez James et surtout Proust, elle s'affine encore davantage.*

« *Hugo et Dickens badigeonnaient leurs toiles de couleurs vives; Proust et James peignent en demi-*

teintes [1]. » Car la vérité du monde n'est pas dans le monde, ni même dans l'œil qui le regarde, mais dans l'âme contemplative que cet œil a nourrie d'images...

*
* *

C'est pourquoi *La Recherche du temps perdu* est une œuvre intérieure, le premier roman « intérieur » de la civilisation occidentale depuis la Renaissance ou le Moyen Age, si l'on excepte Nerval : aussi mystérieux et allégorique que *La Divine Comédie* ou *Le Roman de la rose*. Et pourtant très « moderne », initiateur du roman phénoménologiste, car son sujet, son propos et son thème ne sont plus de décrire un monde fictif ou réel, mais d'étudier, de critiquer, d'analyser, dans leurs « structures », dans leur symbolisme et leurs variations, les *images* que l'homme se fait du monde...

Perdu dans la forêt des images, dans la selve de ses propres images, comme dans la forêt obscure, le narrateur et le héros de cette épopée allégorique, Marcel, erre parmi ces IMAGES, à la quête d'une Toison d'or qu'il appelle le « temps perdu »... Tout ce grand œuvre est une fantasmagorie (bien que l'on puisse, aussi, le lire comme s'il était une chronique, ou, plutôt des matériaux pour une chronique).

Et, pour suivre cette aventure dantesque masquée sous une chronique psychologique, pour la transcrire en un fabuleux cinéma intérieur, il ne faudrait pas y pénétrer par le premier volume *(Du côté de chez Swann)*, mais commencer la lecture par l'Épilogue, par le dernier volume, au chapitre III du tome intitulé *Le Temps retrouvé*...

1. Bruce LOWERY : *Marcel Proust et Henry James*, p. 116, Plon, 1964.

Ce sera alors cette interminable matinée fantomatique à l'hôtel de Guermantes où, après la guerre,
après de nombreuses années de réclusion en maison
de santé, le narrateur, vieilli sans s'en être rendu
compte, retrouve, vieillis et méconnaissables, tous
ceux qu'il avait connus dans le « monde », seize ans
plus tôt. Déjà en entrant dans la cour de l'hôtel de
Guermantes, en butant sur un pavé inégal qui lui
rappelle une sensation vieille d'une douzaine d'années qu'il avait éprouvée à Venise, Marcel a senti
qu'il était dans un état où le présent, le passé se
fondaient en lui, l'enrobaient, l'appelaient... Un
laquais l'a longtemps fait attendre — un bon quart
d'heure — dans l'antichambre, car on donnait de
la musique dans le salon; et, pendant ce temps,
— pendant soixante-dix pages — il a élaboré toute
une théorie esthético-métaphysique du Temps, du
Réel, du Roman et du Moi...

« *A ce moment, le maître d'hôtel vint me dire que le
premier morceau* (de musique) *étant terminé, je pouvais quitter la bibliothèque et entrer dans les salons.* »
Et c'est alors que commence le cauchemar, car les
salons se déroulent en panorama devant Marcel
comme à travers un verre déformant : vieillis, défraî-
chis, peuplés d'une humanité qu'il ne reconnaît pas.
Comme des personnages caricaturaux tous les invités
arborent d'énormes moustaches grises, de grosses
barbes blanches. Ils bougent, remuent, papotent,
comme s'ils étaient vivants, et Marcel erre parmi ces
mannequins de musée Grévin sans presque jamais
pouvoir mettre un nom sur un visage. Tous le recon-
naissent et lui parlent naturellement. Lui ne peut
parler à personne dans cette galerie de figures de
cire, et, pendant de longs instants, il croit que les

habitués du salon se sont *déguisés* — déguisés en
vieillards...

L'effet que recherche ici le narrateur est un effet
outrancier et caricatural. Il est longuement appuyé :
plus de cent pages où Marcel prend pour un de ses
amis d'autrefois le fils de l'un de ses amis, rencontre
Gilberte Swann sans la reconnaître (!), confond la
fille avec la mère, présente « ses respects » à un
homme de vingt ans plus jeune que lui et s'étonne
lorsqu'on s'adresse à lui en employant l'expression
« un homme de votre âge... ». Épique, comique, cette
dernière matinée chez les Guermantes est en réalité
faite d'une série de *gags*, au sens le plus vulgaire
du mot, mêlés à des théories sur le Temps.

Généralement considérées avec le respect que l'on
doit à un grand créateur, ces « théories » valent évidemment ce que vaut toute théorie insérée dans un
roman, qu'il s'agisse du dernier tome de *La Guerre
et la paix* ou du dernier tome d'*A la recherche du
temps perdu :* bien qu'il ne soit pas philosophe, Marcel Proust écrit là aussi naturellement mal que les
philosophes. C'est pourtant dans ce même volume
qu'il avoue : « *Une œuvre où il y a des théories est
comme un objet sur lequel on laisse la marque du prix*[1]... »

Mais au-delà des effets naïfs de théorisation et
d'outrance caricaturale, cette fin du *Temps retrouvé*,
ce dernier volume de l'œuvre constituent lentement
et pesamment un monde obsédant... Non pas un
monde d'ailleurs, mais un « problème du monde »,
car l'essentiel y est cette perpétuelle impression que
l'on a d'assister à une rencontre de fantômes filmés
à travers un objectif qui n'est pas au point...

---

1. Marcel PROUST : *Le Temps retrouvé*, t. II, p. 26, Gallimard.

C'est de cette impression peut-être, plus que d'une élémentaire philosophie essentialiste des diverses formes du Temps, que naît l'art phénoménologiste de *La Recherche du temps perdu* : une vision artistique et romanesque de ce que l'on pourrait appeler la « myopie temporelle » des hommes. Il ne s'agit plus, pour le romancier proustien, de décrire le « réel » (quel réel?) ni de raconter sa vie, mais d'étudier les effets de sa myopie (de notre myopie) dans toute évocation du réel ou dans toute autobiographie.

Et c'est pourquoi, dans l'Épilogue, cette dernière matinée de Guermantes est ce festival de myopie, d'amblyopie, de presbytie qui constitue une introduction optique fabuleuse à la fresque phénoménologique du temps perdu. C'est là que Marcel, vieilli dans un monde vieilli, et voyant se détraquer en quelque sorte le mécanisme de sa vision, découvre que les problèmes de l'Art et de la Réalité sont des problèmes de *vision* : le « réel » dépend moins d'une « réalité » objective que du système focal variable avec lequel nous prétendons le voir et l'enregistrer. Et la « révélation » du temps retrouvé est, dans la réunion des vieillards chez les Guermantes, celle de ce *travelling* à plans contrastés, tantôt flous, tantôt nets, où apparaît le relief du Temps : « *A l'égard de ces invités, ils étaient jeunes vus de loin, leur âge augmentait avec le grossissement de leur figure et la possibilité d'en observer les différents plans. Pour eux, en somme, la vieillesse restait dépendante du spectateur, qui avait à se bien placer pour voir ces figures-là rester jeunes et à n'appliquer sur elles que ces regards lointains qui diminuent l'objet sans le verre que choisit l'opticien pour un presbyte; pour elles, la vieillesse, décelable comme la présence des infusoires dans une*

goutte d'eau, était amenée par le progrès moins des
années que, dans la vision de l'observateur, de l'échelle
de grossissement [1]. »

C'est par là que le « roman » de Marcel Proust se
sépare totalement du roman-récit-objectif (même
avec toutes ses variantes préproustiennes). Car le
principe, le « mystère » ou le mécanisme de cet univers mouvant qu'est tout univers romanesque ne
résident plus dans l'objet ni dans le sujet (dans le
« réel » ni dans le romancier), mais dans ce monde
hybride qui naît entre eux, qui n'est ni « objectif »
ni « subjectif »; il faut bien prononcer le mot, si
pédant soit-il, il est « phénoménologique ».

Et l'auteur pourra alors raconter sa vie, et, dans
ce récit, faire flotter les diverses images qu'il se faisait d'un Guermantes ou d'une Verdurin. L'art ne
consiste plus à figer ces images dans un tableau défi-
nitif, mais à confronter leurs esquisses, et à se perdre
dans cette confrontation qu'il s'agisse de superposer
« deux aspects successifs d'un même personnage [2] »,
ou de retrouver « pour l'âme, dans la durée de la
vie, comme une suite de moi juxtaposés mais dis-
tincts qui mourraient les uns après les autres ou
même alterneraient entre eux [3] ».

Dans la chronique du Temps perdu, l'introduction, en somme, se trouve à la fin. Et, ainsi envisagée
sous cet aspect extrême (que masque souvent l'aspect
de « chronique » que contient aussi *La Recherche du
temps perdu*), l'œuvre de Marcel Proust explique à
l'avance toutes les formes de vision romanesque,
myopes, confuses, brouillées, savantes, qui inspirent

1. Marcel PROUST : *Le Temps retrouvé*, t. II, p. 102.
2. *Ibid.*, t. II, p. 93.
3. *Ibid.*, t. II, p. 99.

nombre de romans des années 1955-1965; qu'ils soient convaincants ou non dans leur technique, et dans l'effet, souvent déconcertant, qu'elle procure, ils se trouvent justifiés par le mythe proustien.

* *

Dernier tome d'*A la recherche du temps perdu*, *Le Temps retrouvé* était en réalité le porche de l'œuvre. Marcel Proust n'a pas osé en faire une « préface ». Mais c'est à partir de ce porche final que l'on débouche sur l'ensemble de la chronique, qui forme une aventure spirituelle et une chronique en cycle fermé, comme le serpent qui se mord la queue. Ayant vu, dans la matinée Guermantes (qui est à la fois une agonie et une renaissance de Marcel), le Monde et le Moi se transmuer en fantôme phénoménologique du Monde et du Moi, le narrateur découvre que la Connaissance est analyse et transmutation de la Connaissance, que la « réalité » se réduit à l'étude des déformations de la réalité (et sur ce dernier point, la physique moderne rejoint l'intuition proustienne).

Et c'est alors que tout recommence : le vieil homme au regard trouble qui, quelques années après la guerre, a senti sa vision et ses sensations profondes soumises au vertige de ce que l'on appellerait aujourd'hui un effet de *zoom* brutal, cet homme qui est à la fin de sa vie et qui ne la possède pas, en revient alors au début de sa vie, à son enfance à Combray, ou, plutôt — car les temps se brouillent et se superposent comme les couches renversées ou relevées en géologie —, *au moment où dans sa vie il avait commencé à se remémorer par plaisir son enfance à Combray : « Longtemps, je me suis couché de bonne heure* [1]. » Les premières impressions de la vie, remâchées et revécues, constituent une sorte de brume originelle dans laquelle se découpent peu à peu des pans d'ombre ou de pénombre, des reliefs comme ceux des chaînes de montagnes plus ou moins proches ou lointaines dont les lignes se séparent aux rayons obliques d'un crépuscule — comme le marque une « reprise » au bout des soixante premières pages de *Du côté de chez Swann* : « *C'est ainsi que, pendant longtemps, quand, réveillé la nuit, je me ressouvenais de Combray, je n'en revis jamais que cette sorte de pan lumineux, découpé au milieu d'indistinctes ténèbres* [2]... »

Interviennent alors les « illuminations » proustiennes : la madeleine, les clochers de Martinville, la « petite phrase » de Vinteuil, le pavé de Venise. Fulgurations quasi mystiques pour le narrateur, et qui constituent pour lui la reconquête de son « passé » : « *...notre passé. C'est peine perdue que nous cherchions à l'évoquer, tous les efforts de notre intelligence sont inutiles. Il est caché hors de son domaine et de sa portée, en quelque objet matériel (en la sensation que nous donnerait cet objet matériel) que nous ne soupçonnons pas. Cet objet, il dépend du hasard que nous le rencontrions avant de mourir, ou que nous ne le rencontrions pas* [3]. »

C'est un hasard en effet qui amène Marcel, chez sa mère, à Paris, à goûter la fameuse bouchée de madeleine amollie dans du thé, qui lui rappellera les matins d'enfance à Combray où la tante Léonie lui offrait une becquée semblable... En lui-même, ce

---

1. Dans *L'Espace proustien* (Gallimard), Georges Poulet a mis en valeur cette phrase, avec l'effet du passé composé, sa valeur de présent dans le passé.
2. Marcel PROUST : *Du côté de chez Swann*, t. II, p. 64.
3. *Ibid.*, t. I, p. 65.

trait — avec son raffinement sensible et sensuel, sa précision, sa complaisance — appartient à un jeune homme délicat formé à l'époque symboliste, attentif aux sensations rares et exquises. On peut oser dire que, bien que symbolique dans l'œuvre de Proust, l'histoire de la madeleine y forme une anecdote de poète décadent.

C'est cependant à travers ces traits anecdotiques que l'écrivain Proust prend conscience de lui-même et de son art, et qu'il va entreprendre une révision totale, longuement méditée, du problème du Temps dans le roman. Et à travers cette aventure, somme toute personnelle et limitée, dans l'histoire littéraire, à un esthétisme qui porte la marque de son époque, il se trouvera, par son influence, par le lent effort explosif de son œuvre, être le premier à transférer l'intérêt de l'artiste littéraire, des problèmes de « contenu » de l'œuvre, aux problèmes de sensation, de vision, de relativité, de la connaissance et de la description qui, après lui, et de manière continuelle, au xxe siècle, feront la principale préoccupation — et la délectation — de ses innombrables suc· cesseurs...

*
* *

« *Déjà à Combray je fixais avec attention devant mon esprit quelque image qui m'avait forcé à la regarder un nuage, un triangle, un clocher, une fleur, un caillou, en sentant qu'il y avait peut-être sous ces signes quelque chose de tout autre que je devais tâcher de découvrir, une pensée qu'ils traduisaient à la façon de ces caractères hiéroglyphes qu'on croirait représenter seulement des objets matériels. Sans doute, ce déchiffrage était*

difficile, mais seul il donnait quelque vérité à lire [1]. »
Ainsi la « réalité » n'est plus un « monde objectif »
dont l'écrivain, à la manière flaubertienne, devrait
donner la description consciencieuse et « exacte »,
mais un univers fluide, chiffré, étroitement délimité
par l'œil qui le regarde, et n'ayant presque aucune
existence en dehors de lui. C'est le monde où Proust
lentement décèle, décrit et analyse « *ces vérités écrites
à l'aide de figures dont j'essayais de chercher le sens
dans ma tête, où, clochers, herbes folles, elles compo-
saient un grimoire compliqué et fleuri* [2]... » Cet univers
romanesque n'est plus l'univers socio-psychologique
dont les grands réalistes étaient les observateurs
assermentés mais une sorte de contexte symbolique
où les figures du monde s'imposent par une nécessité
intérieure et esthétique : « *Leur premier caractère
était que je n'étais pas libre de les choisir, qu'elles
m'étaient données telles quelles* [3]. » Et cette sorte de
nécessité intérieure demeurera, ou redeviendra, le cri-
tère de l'artiste : en 1966, le moindre romancier incongru pourra prétendre que la vision, les « cadrages »
surprenants de son roman, les images en trompe-l'œil,
ou en confusion totale, qui le composent, lui sont
« donnés tels quels »...

Car, à partir de l'inspiration proustienne, on
pourra considérer que « la littérature qui se contente
de décrire les choses et de donner un misérable
relevé de leurs lignes et de leur surface, est, malgré
sa prétention réaliste, la plus éloignée de la réalité »,
car la réalité ne peut se réduire à cette « *espèce de
déchet de l'expérience à peu près identique pour cha-*

1. Marcel PROUST : *Le Temps retrouvé*, t. II, p. 22.
2. *Ibid.*
3. *Ibid.*

cun [1] ». Ce que condamne en effet la « théorie » du
Temps retrouvé, c'est bien la vision objective commune
du roman antérieur, celle de Maupassant, de Zola,
voire de Flaubert. C'est de manière polémique et
précise que Proust dénonce l'art réaliste : « *Quand
nous disons un mauvais temps, une guerre, une sta-
tion de voitures, un restaurant éclairé, un jardin en
fleurs, tout le monde sait ce que nous voulons dire* [2]. »
Et il refuse cet art romanesque des lieux communs.
« *Si la réalité était cela, sans doute une sorte de film
cinématographique de ces choses suffirait, et le « style »,
la « littérature » qui s'écarteraient de leur simple donnée seraient un hors-d'œuvre artificiel* [3]. »

Mais, justement, la réalité n'*est plus* cela, affirme
Marcel Proust dans ces pages qui sont comme une
théorie du futur roman nouveau. Et c'est bien un
changement de définition de la « réalité » qui est à
l'origine d'un art nouveau. Le réel romanesque cesse
de s'identifier avec un Monde-objet qu'il s'agirait
de décrire soigneusement dans un langage commun
à tous, pour devenir un Monde naissant et fragile,
qui est à moitié dans l'homme et à moitié dans les
choses. Cet univers phénoménologique, Proust tente
de le préciser comme « *ce qui se passe (...) en nous
au moment où une chose nous fait une certaine impression* [4] ». Et ainsi chaque homme porte un livre
déterminé et irremplaçable : « *Je m'apercevais que,
pour exprimer ces impressions, pour écrire ce livre
essentiel, le seul livre vrai, un écrivain n'a pas, dans
le sens courant, à l'inventer, puisqu'il existe déjà en*

1. Marcel PROUST : *Le Temps retrouvé*, t. II, p. 36.
2. *Ibid.*, p. 36.
3. *Ibid.*, p. 37.
4. *Ibid.*, p. 37.

*chacun de nous, mais à le traduire. Le devoir et la
tâche d'un écrivain sont ceux d'un traducteur* [1]. »

Voilà cet univers romanesque, que Durrell appel-
lera « *un monde griffonné dans les marges d'un rêve,
ou la simple répétition familière de la musique du
temps* [2] ». L'œuvre prend alors un autre rythme, qui
ne peut être qu'un rythme intérieur, différent pour
chaque livre et pour chaque œuvre, et, par suite,
déroutant pour le lecteur habitué au *tempo* mécanique du récit objectif, descriptif, chronologique.

Inévitablement, la notion du Temps en est modifiée (et c'est bien pourquoi Proust en fait le centre
de sa « recherche »). Le Temps réglementaire du
calendrier et de l'horloge, qui réglait le récit de la vie
d'Emma Bovary ou de celle de Nana, était un temps
purement extérieur, une référence commune pour
tous les hommes, mais qui n'est valable et « réelle »
pour aucun en particulier puisque « ce qui se passe
en nous » n'obéit pas à ce Temps. On peut en effet
admettre que chaque homme vit selon le calendrier.
Mais l'œuvre d'art ne consiste pas à vivre, elle
consiste à *revivre* (ou à survivre) : et personne n'a
jamais *revécu* sa vie en suivant l'ordre du calendrier.

C'était ainsi tout naturellement que les problèmes
de la mémoire, du temps, de la reviviscence des
images s'imposaient à Proust. Ces problèmes, il les
précisa, pour son compte personnel, sous la forme de
cette « recherche » du passé qui constitue l'aspect
le plus évident de son œuvre. Elle se définit elle-
même comme un effort pour « libérer » le passé :
un « passé » qui, une fois vécu dans le temps, sub-
sisterait dans une sorte d'éternité provisoire, dans

1. Marcel PROUST : *Le Temps retrouvé*, t. II, p. 37.
2. Lawrence DURRELL : *Cléa*, p. 17, Éd. Buchet-Chastel.

des limbes dont l'effort de l'artiste consiste à le tirer, pour l'amener à une éternité définitive qui est celle de l'œuvre : « *Je trouve très raisonnable la croyance celtique que les âmes de ceux que nous avons perdus sont captives dans quelque être inférieur, dans une bête, un végétal, une chose inanimée, perdue en effet pour nous jusqu'au jour qui, pour beaucoup ne vient jamais, où nous nous trouvons passer près de l'arbre, entrer en possession de l'objet qui est leur* il le dit, *prison* [1]. » Et c'est à la quête de ces objets symboliques (ou plutôt, comme de la *sensation* qu'ils donnent et qui les révèle comme témoins et comme repères) que part le narrateur d'*A la recherche du temps perdu*. Elles afflueront alors, au hasard des associations et des bonheurs de la vie intérieure, ces *sensations* où le présent rejoint le passé, ils prendront réalité, ces « miracles » proustiens : la madeleine, les clochers, les aubépines, le pavé du baptistère de Saint-Marc et celui de la cour de l'hôtel de Guermantes, comme, aussi bien, « la petite phrase de Vinteuil... ». Ces « moments » qui appartiennent au présent-passé, où s'illumine et flambe le *court-circuit* qui réunit en une étincelle deux instants du « temps » officiel où la sensation a d'abord été *vécue*, puis *revécue*, c'est-à-dire transformée en art : « *Rien qu'un moment du passé? Beaucoup plus, peut-être; quelque chose qui, commun à la fois au passé et au présent, est beaucoup plus essentiel qu'eux deux* [2]. »

1. Marcel PROUST : *Du côté de chez Swann*, t. I, p. 63.
2. Marcel PROUST : *Le Temps retrouvé*, t. II, p. 14.

*
* *

La « représentation » objective du monde est
fausse, voilà ce que, pour ses successeurs, Marcel
Proust a découvert et affirmé. Et, en effet, sa « théorie » était nette sur ce point : seul instrument possible de l'imagination artistique, la mémoire (qu'il
s'agisse d'une autobiographie ou d'une histoire fictive
réimaginée à partir d'éléments mémoriels), se trouve
impuissante à rendre la sensation de la vie vécue,
et lui substitue des images fausses, des « représentations » figées et objectivées, des photographies
menteuses. Ce sera par exemple, dans l'Épilogue-
Introduction de *La Recherche du temps perdu*, Venise.
« *Venise, dont mes efforts pour la décrire et les pré-
tendus instantanés pris par ma mémoire ne m'avaient
jamais rien dit* [1]. »

L'homme et l'artiste se trouvent ainsi devant
une collection de photographies conventionnelles.
C'est sur cet art photographique stéréotypé que se
fondait le roman antérieur à Proust, et c'est bien
cet art que Proust récuse : « *J'essayais maintenant
de tirer de ma mémoire d'autres « instantanés », notam-
ment des instantanés qu'elle avait pris à Venise, mais
rien que ce mot me la rendait ennuyeuse comme une
exposition de photographies* [2]. »

A l'exactitude photographique de la mémoire
intellectuelle s'oppose évidemment la mémoire affective et esthétique qui, dans ses hasards et ses illuminations, apporte « *une joie pareille à une certitude
et suffisante sans autres preuves à (...) rendre la mort*

1. Marcel PROUST : *Le Temps retrouvé*, t. II, p. 8.
2. *Ibid.,* t . I, p. 209.

indifférente [1] ». Ainsi s'établit, dans la doctrine proustienne, « *l'extrême différence qu'il y a entre l'impression
vraie que nous avons eue d'une chose et l'impression
factice que nous nous en donnons quand volontairement nous essayons de nous la représenter* [2] ».

Cette distinction bergsonienne, qui porte la marque
de son époque, aurait pu rester la simple théorie
d'un esthète post-décadent. Mais un concours de
circonstances et de convergences, la même réclama-
tion formulée par d'autres artistes (comme, en passant, par Virginia Woolf) en ont fait une « révolution » littéraire comparable à ce que fut, plus d'un
siècle auparavant, en philosophie, la « révolution
kantienne ». Après Proust, et bien souvent sous son
influence, l'artiste va être amené à refuser le récit
qui est « *exposition de photographies* », c'est-à-dire
l'histoire bien narrée, sur le mode dit « objectif »,
de manière « compréhensible » à tous les lecteurs, en
faveur d'un autre style inventif et imaginaire où
le créateur ne recherche plus une vérité plausible
et commune à tous, mais s'attache à une nécessité
intérieure et souvent personnelle des images. L'œuvre
est alors un MYTHE qu'il faut déchiffrer, et non un
CLICHÉ habile, net, immédiatement et banalement
lisible. Proust a dénoncé « *la fausseté même de l'art
prétendu réaliste* [3] », et lui a substitué un autre effort
artistique, toujours douteux, toujours difficile à
comprendre et à suivre, celui qui traduit la création,
par l'homme, d'une image originale du monde, décen-
trée et aberrante, au lieu d'une image standardisée
selon les normes du bon sens.

1. Marcel PROUST : *Le Temps retrouvé*, t. II, p. 9.
2. *Ibid.*, t. II, p. 11.
3. *Ibid.*, t. III, p. 25.

V

LAWRENCE DURRELL
OU LE ROMAN POLYGONAL

C'EST dans la *sensation du temps* que les romans
nouveaux offrent l'effet le plus déconcertant.
Le temps y est toujours un *temps vécu* (d'où l'emploi
fréquent du monologue intérieur), alors que nos lectures romanesques classiques nous avaient habitués
à un temps narré, à un temps d'historien ou de
biographe. L'architecture du livre aussi est déroutante, car elle abandonne la construction traditionnelle, cette nervure centrale que représentait l'ordre
chronologique et objectif des épisodes. Au lieu d'être
dirigé depuis le passé vers un aboutissement présent
où se résume et s'arrête l'histoire, le roman reste
flottant dans une série de perspectives temporelles.
Au lieu de suivre une allée bien tracée, le temps
romanesque y est devenu un labyrinthe.

Alors le roman cesse de se fonder sur une symétrie bilatérale, sur le trajet d'un point à un autre,
sur une intrigue qui évolue, sur un vecteur. Autour
d'un événement, d'une vision, ou d'une énigme, il
se construit en énigme radiante, en polygone : aussi
différent du roman vertébré, à squelette interne, que
l'est, biologiquement, une étoile de mer à cinq
branches, d'un mammifère à colonne vertébrale.

Pour suivre cette mutation sur un petit nombre
d'exemples — car il ne s'agit pas ici d'une histoire
exhaustive, qui tournerait trop vite au panorama
et au catalogue —, un des cas les plus significatifs,
à égale distance des premiers créateurs et du nouveau
roman, se trouvera dans *Le Quatuor d'Alexandrie*,
publié par Lawrence Durrell de 1957 à 1960.

*
* *

Bien qu'il prenne parfois un ton prétentieux, bien
que de nombreux artifices y soient visibles, et que
Lawrence Durrell ne répugne pas à certaines facilités,
Le Quatuor d'Alexandrie porte en lui cette puissance,
cette conviction et cette réussite qui imposent l'œuvre
avec ses défauts. A tel point que pour mettre Durrell
à sa vraie place, on peut négliger (en laissant à part
le poète) ses ouvrages secondaires comme *Cefalu*
ou *Citrons acides*, où l'on ne trouvera après tout
qu'une aimable expression de ce mythe méditer-
ranéen qui va de Byron à D. H. Lawrence. C'est
avec *Le Quatuor d'Alexandrie* que Durrell marque
non seulement un « moment » dans l'évolution des
techniques du roman, mais aussi un accomplisse-
ment : une œuvre qui se justifie par elle-même, et
non comme une étape de l'histoire littéraire. Les
puristes de l'actuel « nouveau roman » la récusent;
car on n'y trouve pas ce brouillage faulknérien de
la vision qui place le lecteur au niveau de la sous-
conscience des personnages et qui, disons-le pour
caricaturer, fait voir le monde à travers les yeux
d'un idiot, ou d'un homme ensommeillé, en images
plates, déformées, flottantes, bizarrement étirées
comme des cirro-cumulus. Mais, par deux traits,

Le Quatuor d'Alexandrie reste parent des recherches actuelles : la modification du *temps* romanesque d'une part, et la création d'un nouveau *relief* dans le roman d'autre part, dans un roman composé en mosaïque, en étoile à cinq branches.

★
★ ★

Proust avait certes étudié le relief du Temps dans la conscience; mais il avait *commenté* cette possibilité de *zoom* romanesque, sans en donner une illustration saisissante. Dans *La Recherche du temps perdu*, le « relief » était *dit* par Proust (souvent, il faut l'avouer, à la manière d'un professeur de philosophie), il n'était pas *rendu sensible* par des effets de virtuosité, ces effets dont Durrell, lui, ne se privera pas, au point d'en abuser... Et les plongées dans la sous-conscience, l'étalement du temps romanesque dans les impressions élémentaires d'un personnage, qui caractérisent tant de passages de Virginia Woolf ou de Faulkner, donnaient souvent l'impression d'un monde amibien à deux dimensions — le relief n'étant obtenu, chez Faulkner, qu'au prix d'un grand effort du lecteur.

Le quadruple roman « alexandrin » de Lawrence Durrell serait, au contraire, plutôt comparable à ces sculptures aux angles aigus que, pour être bien certain que nous les verrons sous toutes leurs faces, l'artiste expose sur un plateau tournant... Le paradoxe était que, de Proust à Malcolm Lowry, les créateurs qui avaient refusé la conception unilinéaire du roman-récit s'étaient (sauf Joyce) consacrés à une optique finalement encore plus pauvre et plus limitée : traduire et utiliser les impressions d'une

conscience au contact des choses; d'où, pour le lecteur, une certaine impression première de platitude,
c'est-à-dire d'aplatissement de la « réalité » mise
entre les deux lamelles d'une plaque pour micros-
cope...

Au contraire, de cette œuvre faite de richesse cérébrale et sensuelle qu'est *Le Quatuor d'Alexandrie*,
Lawrence Durrell parvient à donner l'impression
qu'elle « *tourne dans l'espace* »; exactement comme
lorsque les peintres de la Renaissance s'attachèrent
à donner l'illusion que l'on pourrait en quelque sorte
contourner les figures peintes sur la toile en entrant
dans le tableau et en passant derrière elles.

De là naît cet exercice de virtuosité romanesque
qu'est *Le Quatuor d'Alexandrie*. Sa richesse est
certes due, en premier lieu, à la matière : un exo-
tisme sceptique et exacerbé, mélange d'aristocra-
tisme et de bohème; l'évocation d'une ville fasci-
nante, une métropole « pourrie » dans un état de
semi-colonialisme, Alexandrie en 1938, car L. Durrell dit bien que cette Alexandrie est le premier
personnage du livre. « *Bribes de toutes les langues,
arménien, grec, marocain; yiddish d'Asie Mineure,
de Turquie, de Géorgie; mères nées dans les colonies
grecques de la mer Noire; communautés coupées comme
les branches d'un arbre, isolées du tronc, rêvant de
l'Eden.* » Et, à côté, « *ces belles avenues bâties et déco-
rées par les étrangers et où les courtiers viennent s'asseoir et déguster leurs journaux du matin* [1] ».

Avec ses avenues « modernes », ses vieux quartiers
crasseux, son isolement géographique, avec le miroite-
ment lointain des lagunes de Maréotis, cette Alexan-

---

1. *Justine*, p. 68.

drie pourrait constituer un décor pittoresque pourris-
sant, qui suffirait à lui seul à créer un ensorcellement,
et l'auteur ne néglige pas cette « chance » que lui
offre son sujet. A ce premier bonheur romanesque
s'en ajoute un second : cette Alexandrie de 1938,
l'Alexandrie de Durrell (où jamais pratiquement on
ne verra un authentique sujet égyptien de religion
musulmane), est une ville fictive où se rencontrent,
comme en une mer des sargasses subsistant en plein
désert, les êtres les plus invraisemblables (épaves ou
aventuriers) qu'aient produits le Moyen-Orient et
l'Empire britannique. Car le « témoin » principal (et,
le plus souvent, le narrateur) de la tétralogie, Darley,
est un Anglais sceptique et inquiet qui vit à Alexandrie en donnant des leçons dans une quelconque
École Berlitz; Anglais aussi sir Mountolive, qui, à
vingt ans de distance, vient à Alexandrie comme
jeune attaché d'ambassade, puis comme ambassadeur
désabusé. A eux se mêlera un Français « typique »,
ivrogne, moustachu et conquérant, Pombal, vague-
ment employé par le consulat de France — et que
Durrell a dû aller chercher sur quelque carte postale
de 1910, à moins qu'il en existât encore un exemplaire (avec moustache), en Égypte, en 1938. Le
médecin Balthazar (que Pombal surnommait la
« vieille bique ») est un Levantin indéfini qui étudie
la Cabale. Capodistria est un Latin. Le vieux Scobie
a servi dans la marine anglaise avant de diriger les
services secrets de la police égyptienne, et l'écrivain
Pursewarden fait à la fois de la propagande cultu-
relle et de l'espionnage. Souvent, ces personnages
fort divers se rencontrent chez le barbier arménien
Memnjian. Mais, alors que la pauvre concubine de
Darley, Melissa, est d'origine grecque, la grande

héroïne du *Quatuor*, Justine, est juive... Seul le mari
de Justine, Nessim, est autochtone; mais lui aussi
est un être « en marge », car Nessim n'appartient
pas à l'ethnie arabe ni à une nation islamique; descen-
dant des Vieux Égyptiens, antérieurs à la conquête
arabe, il est copte, ainsi que sa mère Leila et son
frère Narouz.

Il n'y aurait pas lieu d'insister sur ce mélange de
races, ou du moins de peuples et de coutumes, s'il
n'était fort évidemment voulu par Durrell, et s'il ne
représentait un des éléments du *Quatuor d'Alexandrie* : un îlot de cosmopolitisme, un monde sans stra-
tifications sociales, où les êtres n'ont pas une « place »
dans la société; première forme, déjà, de cet univers
« tournant » qui sera celui du quadruple roman.

*
* *

L'intrigue elle-même est brève par principe, puisqu'elle est destinée à être vue sous quatre ou cinq
angles différents, perpétuellement remâchée, corrigée,
rectifiée, commentée. Comme tous ses pairs, de
Proust à Malcolm Lowry, Durrell s'intéresse à un
cheminement *autour* de l'intrigue, et non à l'intrigue
elle-même. Et d'ailleurs son porte-parole littéraire,
Pursewarden, imagine un récit qui serait délivré de
toute « action » et de toute «intrigue» : « *Sur la première page : un résumé de l'action en quelques lignes.
On pourrait ainsi se passer des articulations du récit.
Ce qui suivait serait le drame pur, libéré des entraves
de la forme. Je voudrais faire un livre qui rêve* [1]. »

Aussi le récit en lui-même, ce que l'on pourrait

---

1. *Justine*, pp. 82-83.

appeler l' « histoire » narrée, se réduit en principe
au minimum : une saison à Alexandrie, de brèves
amours dans la fièvre, la sécheresse, une certaine
exaltation, un certain désespoir... Darley, le narrateur des deux premiers tomes (*Justine* et *Balthazar*),
rencontre à Alexandrie une femme insaisissable, nymphomane, tourmentée, Justine. Il devient son amant,
en même temps que l'ami de Nessim, le jeune banquier
copte qui a épousé Justine en pleine connaissance de
cause, qui l'aime et souffre de l'aimer.

L'action se limite à cette brève histoire. Seulement, cette saison de fièvre, cette aventure qui lui a
semblé brûlante et, en un sens, inoubliable comme
une énigme, Darley la revit et la réévoque quelques
années plus tard, dans une île de l'archipel grec où
il vit en solitaire, gardant auprès de lui l' « enfant »
— un enfant adultérin de Nessim et d'une compagne
que Darley a délaissée, Melissa. Mais lorsque Darley
raconte l'histoire, Melissa est morte. Justine est partie dans un *kibboutz*. Morts aussi les comparses, Scobie ou Pursewarden...

Ainsi la belle et la brillante année d'Alexandrie
où Darley fut aimé de Justine, et assiste à son mar-
tyre, comme à celui de Nessim, cette année trop
brève n'apparaît qu'à travers des événements postérieurs, lorsque tous les acteurs en sont dispersés, et
Darley lui-même, tandis que le vent d'hiver secoue
les Cyclades, ne la remémore et la retrouve qu'à
travers une recherche du temps perdu : « *Je vis en
suspens, comme une plume dans l'amalgame nébuleux
de mes souvenirs* [1]. » Durrell reprend ici, mais sous
forme plus colorée, plus exaspérée, violente et mus-

1. *Justine*, p. 17.

quée, l'essentiel des procédés de Proust : « *Si j'ai parlé du temps, c'est que l'écrivain que je devenais, apprenait enfin à habiter ces espaces déserts qui manquent au temps — je commençais à vivre entre les battements de la pendule pour ainsi dire. Le présent permanent, qui est la véritable histoire de cette anecdote collective, l'esprit humain* [1]. »

Lentement, de manière fragmentaire, comme une série d'épaves arrachées à un passé mystérieux, apparaîtront les épisodes de cette époque déjà lointaine où Justine, l'insatiable et désespérante femme de Nessim, fut la maîtresse de Darley, dans cette ville obsédante et cocasse qu'était Alexandrie : « *Je suis venu ici afin de rebâtir pierre par pierre cette ville dans la tête, cette triste province que le « vieillard » voyait pleine des « ruines sombres » de sa vie* [2] », car derrière le roman de Durrell court le lyrisme de ce « vieillard » qu'il ne nomme presque jamais, Kavafis, qui fut le poète de la Ville... Et c'est la Ville, par ses images, qui introduira peu à peu les personnages, par lambeaux de souvenirs colorés : « *Grondement des trams brimbalant dans leurs veines de métal en pénétrant dans la médina aux tons de rouille de Mazarita. Or, phosphore, magnésium, papier. C'est là que nous nous retrouvions souvent. En été, il y avait là une petite échoppe aux stores de couleur vive où elle aimait venir manger des tranches de pastèque et des sorbets roses* [3]. »

Mais ces évocations, riches de contenu pittoresque et sensuel, ne livrent que par éclairs les personnages, les points de repère, les événements qui permettraient de suivre l' « intrigue ». Justine et Nessim

1. *Cléa*, p. 17.
2. *Justine*, p. 15.
3. *Ibid.*

n'apparaissent nettement qu'à travers une brume de souvenirs; et l'essentiel, la liaison de Justine et de Darley, est entrecoupée de scènes secondaires, de personnages auxiliaires. Recomposant la Ville et l'aventure qu'il y a vécue, Darley semble aller au hasard, s'arrête, revient sur ses pas; il faut plusieurs tableaux, plusieurs scènes précises, plusieurs « portraits » successifs de Justine ou de Nessim pour que leur figure s'impose, pour qu'ils prennent du relief, pour que l'on puisse les « suivre » — puisqu'ils sont les personnages princpaux — dans un dédale de détails en principe étrangers à leur « histoire » : la boutique du coiffeur, les séances secrètes que tiennent, avec Balthazar, les adeptes de la gnose, les anecdotes galantes de l'inénarrable François Pombal... Et l'on sait alors, l'on sent alors que jamais les « portraits » ne seront achevés, qu'un nouveau trait peut toujours venir les modifier...

C'est l'impression que veut procurer Durrell, aussi bien dans *Justine* que dans les trois autres livres de la tétralogie. Dès l'abord, il mêle les souvenirs précis aux scrupules, aux doutes, et la « peinture » des personnages du roman s'allie à une critique de cette peinture. Comme un historien universitaire qui au lieu de décrire Sylla met en doute les documents que nous avons sur Sylla, Darley ne reconstitue pas Justine, mais examine les éléments épars — dans sa mémoire ou dans ses dossiers — qu'il possède pour évoquer Justine.

C'est pourquoi à la fin du livre, tous les fils se défont. Alors qu'un roman s'achève par un « nœud » bien ficelé où se rejoignent dans une conclusion logique tous les éléments de l'histoire, *Justine* laisse volontairement l'impression qu'il n'y a pas eu de

roman; car tel, comme Pursewarden, se suicide avant
que nous sachions qui il est et quel rôle il joue. Et
même les protagonistes, Nessim, Justine et Darley
(bien que ce soient les protagonistes les plus classiques, le mari, la femme et l'amant) disparaissent
sans qu'un drame ait éclaté entre eux. Reste seulement l'impression qu'il y eut là, dans quelques mois
vécus à Alexandrie, une tension érotique, cérébrale,
sensuelle de caractère exceptionnel. Mais Darley ne
nous a pas « raconté » pourquoi et comment elle
s'instaura; il a seulement donné la *sensation* qu'elle
avait existé...

*
* *

Et, en effet, le « roman » n'est pas « fait ». *Justine*
contient seulement les éléments d'un roman précis,
mais indéfinissable. Et dans le second volume, *Balthazar*, la même histoire est reprise sous un autre
angle : depuis l'île de l'archipel grec où il est réfugié, Darley a communiqué au docteur Balthazar le
manuscrit de son « journal d'Alexandrie », c'est-
à-dire du texte que nous avons lu sous le titre de
Justine. Et Balthazar, qui fut le témoin des aventures de Darley, de Justine, de Nessim, annote soigneusement le manuscrit de Darley, trouve de nouveaux documents et des interprétations nouvelles.
Darley découvrira ainsi que les textes que Justine
lui avait donnés comme fragments de son journal
intime étaient en réalité des notes de son premier
mari Arnauti qui écrivait un roman sur elle... Et les
événements que nous avions entrevus, dans la confusion de *Justine*, on les retrouve ici déformés, complé-
tés, vus sous un autre angle, fragmentaires encore

pourtant. Comme si les quelque six mois où Darley
fut l'amant de Justine constituaient une réalité indéchiffrable sur laquelle on ne saura jamais la vérité...
Et en effet : s'il y a un fait nouveau dans *Balthazar*,
c'est qu'à travers les textes et les documents que
lui livre le vieux médecin sarcastique, Darley apprend
que Justine ne l'a jamais aimé, qu'elle s'est simplement servie de lui... Mais, s'il le devine, il ne parvient
pas à savoir pourquoi; nous ne le saurons que dans
Mountolive.

Dans ce troisième volume, Durrell a compris qu'il
ne pouvait employer le même procédé que dans les
deux premiers, c'est-à-dire évoquer par bribes et par
fulgurations un épisode entre Justine, Darley et Nessim. Alors que *Balthazar* était le « sosie [1] » et non la
« suite » de *Justine*, c'est-à-dire une sorte de « dossier » réuni par Balthazar pour corriger les erreurs
du manuscrit de Darley, la troisième partie du *Quatuor*, « *Mountolive*, est un roman strictement natu-
raliste dans lequel le narrateur de *Justine* et de
Balthazar devient un objet, c'est-à-dire un personnage [2] ».

Le roman raconte objectivement la vie du diplo-
mate anglais sir Mountolive. Alors que *Justine* se
situait en 1938, ce troisième tome commence en
1924, lorsqu'un jeune attaché de l'ambassade d'Angleterre faisait la connaissance, à Alexandrie, du
jeune Nessim, et était introduit dans sa famille.
Quinze ans plus tard seulement, lord Mountolive
revient en Égypte comme ambassadeur, y retrouve
Nessim marié à Justine...

Tous les personnages qui ont vécu la saison brû-

1. *Balthazar*, Note (liminaire).
2. *Ibid.*

lante de 1938 telle que Darley essayait de la reconstituer dans *Justine* et *Balthazar*, on ne les retrouvera ici que vus de loin, par un ambassadeur désabusé. Il n'est presque plus question de Darley, simple petit professeur dans une École Berlitz. Même Justine est vue par le petit bout de la lorgnette, aussi bien que tous les comparses qui nous étaient devenus familiers dans les deux premiers tomes. En revanche, tout ce qui était resté un peu mystérieux lorsque le sentimental Darley tenait la plume, s'éclaire dans ce tome où nous voyons la réalité par les yeux de Mountolive, car un ambassadeur lit beaucoup de rapports de police... Pourquoi Justine avait-elle pris Darley comme amant? Pourquoi leur ami commun, l'attaché culturel Pursewarden, s'était-il suicidé? C'est qu'il existait à Alexandrie, découvre Mountolive d'après les rapports de certains « agents », un complot antianglais et antiégyptien à la fois : conspiration habilement menée, en faveur du sionisme, par le copte Nessim, secondé et aiguillonné par sa femme juive, Justine...

Darley, l'amant d'occasion et parfois le confident de Justine, avait longuement cherché, dans les deux premiers volumes du *Quatuor*, quelle était la psychologie de cette femme ardente, insatiable, mystérieuse; par quels liens elle tenait à lui, par quels liens elle tenait à son mari Nessim. Dans *Mountolive*, les rapports de police nous renseignent : nymphomane et cérébrale à la fois, Justine est liée à Nessim par une cause commune, par une conspiration; libre d'agir, de le faire souffrir, à condition de conspirer avec lui, elle prend comme amant un innocent anglais — Darley — qui lui sert d'introducteur auprès d'autres Anglais... Et si leur ami

commun, l'attaché « culturel » Pursewarden, s'est
suicidé pendant cette brûlante année, ce ne fut pas
comme le croyait Darley, par un geste « littéraire »,
mais parce que Pursewarden, en réalité chargé de
missions plus policières que culturelles, avait commis
une grave erreur en « dédouanant » Nessim.

Certes, on peut suivre dans *Mountolive* ce que
l'on pourrait appeler l'histoire du personnage principal, celle de ce beau surgeon du Foreign Office
qui commence et termine sa carrière en Égypte où
il a d'ailleurs laissé son grand amour, la mère de
Nessim. Mountolive vit un drame : découvrir progressivement que son ami de jeunesse, l'Égyptien
Nessim, est devenu traître à l'Égypte et à l'Angleterre. Mais, si charmant et si intéressant qu'il soit
en lui-même, Mountolive n'est là que pour nous
permettre de revoir — une *troisième* fois — cette
« saison d'Alexandrie » que Darley évoquait naïvement dans son « journal », c'est-à-dire dans le tome I,
dans *Justine*. Elle reparaît là, vue de loin, en quelque
sorte vue par ce Dieu-le-Père qu'est un ambassadeur pour la « colonie » anglaise locale. Mise en rapports de police, en confidences d'agents secrets, elle
semble une histoire de ludions, tandis que passe
au premier plan la nostalgique et triste aventure
de sir Mountolive et de Leila.

Ce changement d'optique contient en lui-même
son intérêt : n'aimerait-on pas, dans *A la recherche
du temps perdu*, lire une lettre de M. de Charlus où
il décrive, de son point de vue, le narrateur Marcel?
Mais Durrell y ajoute un intérêt supplémentaire :
dans cette année d'Alexandrie où Darley, dans les
deux premiers tomes, avait vu une aventure amoureuse et pittoresque, Mountolive découvre un véri-

table roman policier et « d'espionnage » qui avait
totalement échappé à Darley... Ainsi il ne suffisait
pas que *Justine*, journal personnel de Darley, fût
démenti par *Balthazar*, où Darley doit se dédire
devant les documents fournis par le médecin; il
faut encore que par l'ambassadeur de S. M. le roi
d'Angleterre nous apprenions que ni Darley ni Balthazar ne connaissaient la vérité. Il convient donc
de passer au « roman de contre-espionnage » que
constitue, ironiquement, la seconde partie de *Mountolive*.

Ainsi *Mountolive* éclaire froidement, et d'une
lumière ironique, l'histoire amoureuse, érotique et
spiritualiste à la fois, à laquelle Darley avait cru
dans *Justine* et dans *Balthazar*. Mais ce troisième
tome lui ajoute un nouveau « relief ». Car, en somme,
la très simple et pourtant si complexe aventure
qui eut lieu, en 1938, entre Justine, Darley et
Nessim, ne nous a jamais été contée *sur le vif*. Dans
le premier volume de la tétralogie, *Justine*, Darley
essayait de la reconstituer, deux ou trois ans plus
tard, retiré dans une île de l'archipel de Grèce, et
cette reconstitution était déjà aussi patiente et aussi
laborieuse que celle de la mémoire proustienne, que
celle du « temps perdu »... *Balthazar* n'est qu'une
« glose » de *Justine*. Et *Mountolive* constitue un
« témoignage » encore plus extérieur, plus lointain,
puisque avant de découvrir la vérité « policière » de
1938, et tout un aspect de « roman d'espionnage »,
l'on doit remonter à 1923 et aux origines de la
famille de Nessim Hosnani...

*
* *

Où est la vérité? Se réduira-t-elle à cette cruelle
lumière que lui donne la vision d'un « dossier » par
un ambassadeur? Non, car les fils noués dans *Mountolive*, Durrell les dénoue dans le dernier tome, *Cléa*.
Cinq ou six ans après sa grande saison d'Alexandrie
(c'est-à-dire après la guerre), Darley y retourne,
essaie de ramasser l'imbroglio déjà oublié d'une
intrigue ancienne, aidé par Cléa, une artiste qui,
comme lui, a joué le rôle de témoin d'une histoire
que nous ne comprendrons et ne délimiterons jamais.

Cléa devient alors un festival de souvenirs et de
critique de ces souvenirs, mêlé à une enquête faite
dans le présent et vécue au présent. Peu importe
que Melissa soit morte, et Justine disparue; c'est
d'ailleurs là que nous trouvons dans le détail l'histoire de Melissa, l'humble concubine, fille de cabarets,
que Darley avait sacrifiée à Justine...

Ainsi *Le Quatuor* s'achève comme il avait commencé :
par une fourchette piquée dans le Temps. Dans *Justine*, Darley, vers 1940 (?), reconstituait dans une
île grecque son aventure alexandrine de 1938. Dans
Cléa, après avoir été démenti par Balthazar et par
Mountolive, il revient sur cette année de fièvre et
d'exception, mais en 1945, et dans une atmosphère
différente. Le résultat, pourtant, est le même : *Cléa*
procure la même impression de fils dénoués d'une
intrigue à la dérive, qui s'imposait à la fin de *Justine* : « *J'avais entrepris jadis d'amasser, de codifier,
d'annoter le passé avant qu'il se perde à tout jamais
— du moins c'est la tâche que je m'étais assignée.
Et j'avais échoué (la tâche était peut-être surhumaine),*

car à peine avais-je enveloppé l'un de ses aspects dans
les bandelettes des mots que l'irruption de nouveaux
éléments faisait éclater tout l'ensemble, toutes les
pierres de l'édifice s'écroulaient, pour se réajuster selon
de nouveaux plans invisibles, imprévisibles [1]*... »*

C'est bien cet édifice en mouvement, cet édifice
impossible, que veut évoquer Durrell. Le mythe
qu'il crée dans *Le Quatuor d'Alexandrie* est celui du
ROMAN-BABEL. Babel par le mélange des langues
(d'où ces personnages apatrides dans une ville sans
nationalité), Babel par l'échec volontaire de la « narration », qui n'est jamais entreprise que pour se
défaire (sauf dans *Mountolive*) : « *L'élan de la nar-*
ration est freiné par des références à des faits anté-
rieurs, ce qui donne l'impression d'un livre qui ne se
déroule pas à partir de la tombe mais qui plane au-
dessus du temps et qui tourne lentement sur son axe
pour saisir le dessin d'ensemble. Les choses ne mènent
pas toutes à d'autres choses : certaines ramènent à
des choses qui sont déjà passées. Un mariage du
passé et du présent, avec la multiplicité du futur qui
se précipite vers nous. Du moins, c'était là mon idée[2]*... ».*

En poursuivant cette idée, en parlant d' « *un*
livre qui tourne lentement sur son axe », Durrell
s'attache à un dessin précis : faire de son œuvre
ce que Calder et Michel Butor appelleront plus tard
un « mobile » : un objet qui implique ou suggère une
dimension (spatiale ou temporelle) de plus que celles
auxquelles sont accoutumés l'œil et l'esprit humain.
Et son porte-parole Pursewarden parle d'un bien
« roman à *n* dimensions [3] ».

1. *Cléa*, p. 14.
2. *Justine*, pp. 272-273.
3. *Ibid.*, p. 272.

Cet effet d'optique, Durrell l'obtient par certaines formes de *relief*, comme le désordre apparent ou les hésitations de sa narration. Il l'obtient aussi en plaçant au centre du pentacle le personnage de Justine, dont il fait un être à la fois réel et mythique : femme que l'on peut tenter d'expliquer par ses origines, par ses traumatismes d'enfance et d'adolescence (un viol, une enfant volée), par une prédisposition physiologique comme la nymphomanie liée à un caractère austère, dur, exigeant : « *impitoyable dans la poursuite du plaisir, et pourtant aride* [1] », femme chez qui « *l'esprit est si éveillé que le don du corps n'est jamais que partiel* [2] ». Et le prénom même de Justine provient (les épigraphes le prouvent), de l'œuvre homonyme du marquis de Sade; ce qui, d'ailleurs, fait de Justine un personnage d'origine littéraire, et non réaliste, pour qui chercherait les « sources ». Mais, autant qu'une Juive d'Alexandrie dans la première moitié du xxe siècle, malade de misère et d'exaspération, Justine est aussi un mythe comme les très lointaines Astarté : « *Nous devons la prendre telle qu'elle est, comme le péché originel*, dit Cléa. *L'appeler nymphomane ou faire du freudisme (...) c'est lui retirer toute sa substance mythique — la seule chose qu'elle soit réellement. Comme tous les êtres amoraux, il y a de la déesse en elle* [3]. » Et cet aspect du roman de Durrell — le mystère central de Justine — finit par verser parfois dans une phraséologie proche de celle de D. H. Lawrence, sur les puissances « solaires » du sexe : « *L'énergie créatrice et l'énergie sexuelle vont*

1. *Balthazar*, p. (115).
2. *Justine*, p. (149).
3. *Ibid.*, p. 184.

*de pair. Elles se transforment mutuellement, le sexe
solaire et l'esprit lunaire entretenant un éternel dialogue. Ensemble ils chevauchent la spirale du temps.
Ils embrassent la totalité des mobiles humains. La
vérité ne se trouve pas dans nos entrailles — la vérité
du Temps* [1]. »*

Du moins cet entraînement mythique et presque
mystique inspire à Durrell ce besoin d'exprimer une
réalité à la fois pittoresque et intérieurement mythologique, qui l'amènera aux constructions géomé-
triques et sophistiquées de sa tétralogie, lui faisant
voir ses personnages « *tous liés par le temps dans
une dimension qui n'est pas la réalité telle que nous
voudrions qu'elle soit, mais qui naît des nécessités de
l'œuvre* [2] ».

Et c'est par là qu'il construit, au lieu d'un sage
récit ardent et banal, ce *polyèdre* que forme *Le Quatuor*. « *Non, mais sérieusement, si tu veux être... je
ne dirai pas original, mais simplement contemporain,
tu devrais essayer un carré — comme au poker —
sous forme de roman; passer un axe commun à travers
les quatre histoires, par exemple, et dédier chacune
d'elle aux quatre points cardinaux. Un continuum,
ma foi, incarnant non pas un temps retrouvé, mais
un temps délivré. La courbure de l'espace te donnerait un récit de forme stéréoscopique, tandis que la
personnalité humaine vue à travers un continuum
deviendrait peut-être prismatique? Qui sait? Je jette
cette idée* [3]. »

1. *Cléa*, pp. 174-175.
2. *Justine*, p. 83.
3. *Cléa*, p. 168.

* *
*

Ainsi apparaît la *construction* de l'œuvre : naïvement savante dans sa recherche, et faite, en somme, d'effets d'optique relativement faciles, tel que celui que Durrell suggère, dans les premières pages, comme première approximation des procédés d'écrivain qu'il utilisera et qu'il commentera. C'est Justine, « *chez sa couturière, assise devant les grands miroirs à multiples faces, et disant :* « *Regarde! Cinq images diffé-* « *rentes du même sujet. Si j'étais écrivain, c'est ainsi* « *que j'essaierais de dépeindre un personnage, par une* « *sorte de vision prismatique. Pourquoi les gens ne* « *peuvent-ils voir plus d'un profil à la fois?*[1] ». De cette idée somme toute très simple — mais déjà utilisable pour une nouvelle optique de la création — naîtront, autour de l'insaisissable Juive alexandrinisée les quatre miroirs de *Justine, Balthazar, Mountolive, Cléa,* ce qui forme bien cinq images, cinq visages...

Il suffit alors que Durrell, nourri de sa matière et de son inquiétude, ne se satisfasse pas de ce simple schéma, et complique ce jeu d'optique dans l'espace par un jeu d'optique dans le temps. Ne parle-t-il pas d'ailleurs d' « *un roman à quatre étages dont la forme s'appuie sur le principe de la relativité. Trois parties d'espace pour une de temps, voilà la recette pour cuisiner un continuum*[2] »?

L'expression de « continuum » révèle un certain pédantisme primaire qui consiste à abuser d'images scientifiques mal digérées (*tout* roman, même le plus

---

1. *Justine*, p. 29.
2. *Balthazar*, Note (liminaire).

classique, était déjà un continuum espace-temps
— puisque Durrell tient à cette expression), mais
la maladresse ou l'outrecuidance même de Durrell
dans ses théories montrent qu'il veut avoir des théories. Et si la théorie, telle qu'elle est exposée par le
créateur lui-même, semble toujours un peu puérile
(c'est aussi le cas chez Proust), la vision de la réalité ou le Mythe qu'elle recouvre gardent leur valeur;
Lawrence Durrell a construit finalement un admirable labyrinthe mythique. Certes, dans *Le Quatuor
d'Alexandrie*, une certaine fascination érotique, cérébrale, spirituelle, est due à la matière, au sujet, aux
thèmes. Mais elle ne saurait se séparer de la géométrie sensuelle dans laquelle elle s'exprime. La tétralogie de Durrell est une traduction du monde « en
étoile », en images pentagonales et kaléidoscopiques,
plus accessibles et plus vivantes pourtant — par la
magie d'un style prétentieux mais vivant — que les
jeux d'images mortes et de dessins sur le sable
qu'offre trop souvent un « nouveau roman » plus
raffiné, plus exigeant, mais moins talentueux.

Dans un ouvrage assez banal de « fiction scientifique » *(Une femme dans l'espace)*, Maomi Mitchison
évoquait l'aventure d'un colonisateur de planètes
nouvelles qui, chargé d'entrer en rapport avec les
êtres intelligents qui vivent dans un système fort
lointain de notre système solaire, se trouvait en face
de créatures très peu anthropomorphiques : des êtres
raisonnables qui ont la forme biologique d'une étoile
de mer... Et cet agent de *public relations* entre la
terre et cette planète alpha découvre que la *logique*
humaine (au sens strict du terme) est fondée sur la
dualité aristotélicienne du « oui ou non » parce que
l'homme vit, biologiquement, sur une symétrie bila-

térale : deux yeux, deux oreilles, etc. Les êtres intelligents que doit affronter ce héros de science-fiction
ont une structure radiolaire à cinq branches en étoile,
et toute pensée, toute réalité ont pour eux cinq
interprétations, cinq solutions, au lieu du simple
« oui-non » (deux solutions) que nous avons imposé
même à nos cerveaux électroniques...

Il en est un peu de même lorsque Durrell veut
créer le roman « *à n dimensions* », ou à cinq dimensions dans le cas qui nous intéresse, celui du *Quatuor
d'Alexandrie*. Et il y a certes là une théorie un peu
prétentieuse (pas plus, cependant, que celle de tant
de romans contemporains, où il n'y a pas de « dimensions du tout »).

Ce qu'il faut constater (comme dans le cas de
Proust, de Joyce), c'est que Durrell a « réussi ». Peu
importent ses prétentions et ses théories. Mais avec
elles ou malgré elles, son épopée romanesque s'impose, se lit sans ennui, et même avec cette sorte
d'effort qui comporte une joie. On n'en pourrait dire
autant que dans bien peu de cas, en ce domaine du
roman hétérodoxe où nous sommes entraînés, où nous
nous laisserons entraîner, mais à condition qu'un
certain génie nous y guide. Durrell, avec tous ses
défauts, a eu ce génie.

*
* *

Le monde — le monde ardent et fermé sur lui-
même de cette saison d'Alexandrie qui est le centre
de la tétralogie de Durrell — flamboie dans le roman
comme une gemme polyédrique : facettes, éclats de
lumière, illusions d'optique. C'est que, depuis Joyce
— le grand précurseur, contemporain de Proust —,

on a pu cesser de faire de la création romanesque l'exploration et l'inventaire d'une réalité positive. La création devient *transmutation*. D'une « réalité » — comme les amours d'Alexandrie — elle fait un mythe; ou bien elle considère l'expérience vécue comme étant elle-même un mythe que le roman va essayer de « réaliser ».

Qu'il s'agisse de la nébuleuse proustienne, de ces fontaines lumineuses du verbe que sont les dix-huit chapitres d'*Ulysse*, des lumières mouvantes et crues de Malcolm Lowry dans *Au-dessous du volcan*, ou des pierres précieuses orientales de Lawrence Durrell, taillées de façon à jouer avec l'œil en lueurs de lourdes et brillantes topazes, ce sont partout réfringences, doubles réfractions, toute une optique déroutante pour le lecteur, qui se trouve placé, avec les personnages du roman, dans un kaléidoscope ou dans un labyrinthe de glaces. Le roman traditionnel nous situait, en spectateurs, en face d'une scène de théâtre et d'un décor devant lequel vivaient, parlaient et agissaient des personnages. Mais dans certains grands romans de 1920 à 1950 — antérieurs au nouveau roman français et plus ambitieux que lui —, le centre imaginaire de l'invocation romanesque n'est plus un théâtre d'ombres chinoises, mais un foyer optique, un creuset d'images. La matière romanesque n'est plus une « réalité » destinée à être décrite et analysée. C'est la matière inconnaissable de notre vie, qui nous entoure. Elle émet des rayons et des rayonnements qui se croisent et se répercutent. Le lecteur et l'auteur sont dans la situation de ces physiciens qui écoutent le rayonnement des étoiles, sujets et objets dans un dialogue cosmique.

Le langage de ce dialogue n'est plus celui du *récit;* on n'y raconte pas une histoire bien expliquée et bien commentée. L'univers romanesque ainsi proposé est une sorte d'univers en expansion, aux coordonnées incertaines. Il ne s'exprime pas en analyses psychologiques et sociologiques, il se présente comme un « objet », mobile dans l'espace et dans le temps, fait d'arêtes de métal et de fulgurances de cristal, opaque et lumineux.

VI

LE LYRISME ET LE MYTHE :
DE JOYCE A MALCOLM LOWRY

Dès l'origine, chez le plus extravagant créateur
de formes romanesques explosives, chez James
Joyce dès 1922, un roman épique, lyrique et bur-
lesque comme *Ulysse* mêle réalité et mythe. Le livre
est fait des plus minutieuses ou délirantes transcrip-
tions de ce qui se passe dans la conscience d'un
Irlandais moyen (si tant est qu'il en existe) pendant
les dix-huit heures de la journée — désormais célèbre
— du 16 juin 1904 à Dublin. Le réalisme bouffon,
le monologue intérieur, la caricature et la truculence
alternent dans les épisodes copieux, variés, lyriques
ou sarcastiques, qui s'accumulent et se chevauchent.
Des scènes imaginaires se mêlent aux scènes réellement vécues, l'imagination du héros du livre, Leopold Bloom, petit agent de change de Dublin, se
gonfle aux dimensions de la schizophrénie et du
délire. Tandis qu'il passe dans une rue de Dublin,
qu'il entre dans une bibliothèque, assiste à un enterrement ou pénètre dans une maison close, des psy-
chodrames s'ébauchent dans sa tête, le bouillonnement de son esprit se confond avec le monde réel,
le monde réel lui-même est disloqué dans ses apparences, et apparaît comme un univers gigantesque

et futile : l'univers de Rabelais, transformé en diva-
gation et en cauchemar lyrique. L'unité de style a
disparu. Chaque chapitre, chaque fragment de chapitre varie dans son rythme et son langage... Il est
impossible de lire *Ulysse* de bout en bout avec la
sage application du lecteur qui suit une histoire bien
contée. Il n'y a plus là d'histoire ni même de conti-
nuité apparente dans cette journée vécue par un
homme médiocre dans une ville à la fois réelle et
fantomatique : un fourre-tout, une poubelle de pensées avortées et d'images confuses mais insistantes,
un torrent verbal qui se change en cascades ou en
petits filets d'eau, avec, çà et là, des finesses de
langage à peu près incompréhensibles. On ne peut
lire *Ulysse* qu'en ouvrant le livre au hasard des
pages, comme certains le faisaient pour la Bible...
Et l'ouvrage est en effet une Bible caricaturale : la
Bible d'un lyrisme humain effréné, copieux et désor-
donné, au lieu d'être la geste de Dieu et de son
peuple. C'est un effort pour exprimer l'homme dans
toute la picaresque et violente richesse de sa misère,
l'homme qui vit de coups de gueule et de coups de
whisky, de pensées confuses et multiples, d'images
complexes, si complexes que le cerveau d'un petit
habitant de Dublin en 1904 en contient plus que
nous n'en pouvons supporter à la lecture.

Mais cette réalité riche et sordide à la fois, transcrite dans toute son abondance, avec les ressources
les plus audacieuses et les plus variées du langage,
cette « réalité » demeure en un sens mystérieuse,
dans la mesure où l'homme ne peut jamais rendre
entièrement compte du réel. Cette journée de juin,
telle que la vécut le médiocre héros du livre, constitue
une matière inépuisable. Elle n'est pas faite simple-

ment d'une série d'épisodes, de faits, de descriptions, de scènes, de récits...

Derrière tout fait humain (et le 16 juin 1904 à Dublin est un « fait humain » parmi des trilliards d'autres), il existe comme une géométrie secrète. L'événement a une structure cachée, et la vie humaine, même la plus banale, s'organise selon certaines structures psychologiques ou mythiques, comme les cristaux en structures de géométrie complexe. C'est pourquoi l'épopée bouffonne et lyrique de James Joyce se construit suivant une allégorie; car l'art romanesque va utiliser l'allégorie littéraire pour suggérer, par approximation et par mythe, la complexité du réel... On sait que les dix-huit chapitres d'*Ulysse* correspondent aux dix-huit livres de *L'Odyssée*. Les gestes les plus infimes de Leopold Bloom, comme sa participation à un enterrement ou sa visite à une imprimerie, rappellent les épisodes homériques d'Elpénor ou de l'antre d'Éole. Si à la fin de sa journée, il se réfugie dans l'abri d'un cocher, c'est Ulysse accueilli par Eumée. Lorsqu'il rentre dans sa maison à deux heures du matin, il est dans la situation d'Ulysse revenant dans son palais. Et, en s'endormant tout au long d'un lent monologue intérieur, la femme de Bloom, Marion, répète et reproduit le dernier livre de L'*Odyssée*, dont le thème était Pénélope...

Les correspondances sont poussées par James Joyce jusqu'au système, jusqu'à la manie. Non seulement les dix-huit chapitres se calquent sur l'épopée homérique, mais chacun a sa couleur et ses symboles, évoquant le blanc or, le brun, le vert ou le gris-bleu, se rattachant à un art ou à une science, Théologie, Histoire, Philologie, Musique, Politique, etc., ou se

trouvant dominé par une image symbolique, comme
celle du Cheval, de la Nymphe, de l'Eucharistie, des
Pompes funèbres, de l'Éditeur, de la Prostituée [1]...
Joyce obéit dans la composition de son livre aux
mêmes superstitions compliquées qui incitent les
astrologues des magazines féminins à conseiller, pour
le mois de mars, la topaze aux femmes nées sous le
signe du Verseau, le rubis aux femmes nées sous le
signe de la Balance, etc.

Dans cet univers étourdissant de réalisme lyrique
que Joyce offre avec *Ulysse*, ce symbole et ces allégories sont à vrai dire peu sensibles; le lecteur n'en
jouira que s'il partage la manie de Joyce et joue à
les rechercher en érudit. Mais Joyce en eut besoin
pour construire et imaginer cette épopée d'un petit
bourgeois de Dublin dans une journée de 1904.

Il était en ce sens le dernier « romancier » du
moyen âge, le successeur des auteurs du *Roman de
la rose*. Il était aussi l'introducteur du mythe et de
l'allégorie dans le xxe siècle. Créateur du roman
symbolique, il fait apparaître que la prétendue « réalité » romanesque ne repose pas (comme chez Zola)
sur des *faits* positifs susceptibles d'une étude sociologique. Comme tout rapport de l'homme et du
monde — comme les hypothèses scientifiques, comme
les systèmes philosophiques, comme la psychologie —
le roman a pour structure non pas une loi scientifique
de la « réalité », mais une *image* humaine de l'univers.
Cette image peut être bonne ou mauvaise; si elle est
mauvaise, elle est contredite par la réalité et il appartient alors au physicien, au psychologue, au moraliste, ou au romancier d'en chercher une autre...

1. Jean PARIS : *Joyce par lui-même*, pp. 160-161, Éd. du Seuil, 1957.

Le roman propose des images mythiques, comme le « chercheur » scientifique propose des équations. Il n'y a pas d'équation physico-mathématique qui rende compte de l'univers. Il n'y a pas non plus de schéma romanesque qui rende compte de la vie humaine. Il appartient donc au romancier d'exprimer cette vie humaine à travers des schémas mythiques qui seront plus ou moins efficaces, comme sont plus ou moins efficaces les équations qui permettent de lier gravitation et champs magnétiques.

Parmi les schémas mythiques et les archétypes de toute description du monde, James Joyce avait choisi d'appliquer le schéma de *L'Odyssée* d'Homère à la vie et aux occupations d'un petit bourgeois de Dublin. Ce n'est pas plus étonnant que lorsque, dans le domaine d'une plus grande facilité romanesque, un Alain-Fournier, pour écrire *Le Grand Meaulnes*, choisit d'appliquer, à une certaine « réalité » sentimentale qu'il a vécue, les schémas du « manoir perdu », de la « quête », de la « mystérieuse fête nocturne », c'est-à-dire les mythes de *Perceval* et de *La Conquête du Graal*. La seule différence est que, écrivain traditionnel, Alain-Fournier bénéficie de la sentimentalité générale lorsqu'il transforme en mythe romantique médiéval une belle et brève histoire d'amour, alors que James Joyce, romancier hétérodoxe, déroute le grand public lorsqu'il semble s'amuser à calquer sur les schèmes de *L'Odyssée* la vie pittoresque et banale d'un habitant de Dublin en 1904.

*
* *

A l'intérieur du roman, un mythe presque invisible reproduit un des grands archétypes de l'aven-

ture humaine. L'effet est le même que lorsque Gide
ou Huxley introduisaient un romancier dans le récit,
et plaçaient un roman « en abyme » dans le roman.
Mais il s'y ajoute une cohérence plus forte et une
impression d'ésotérisme : la « réalité » en devient
plus mystérieuse, plus indéchiffrable et plus passion-
nante. Le « réel » cesse d'être un massif de faits positifs et neutres, pour laisser transparaître des structures symboliques. Et le roman se fait alchimie :
« *Toute œuvre littéraire est semblable à une œuvre
alchimique* », dit Jean Roudaut en commentant
Michel Butor, pour qui les romans « *sont des labyrinthes bardés de serrures* [1] ».

Pour Joyce, pour Butor, pour Malcolm Lowry, il
faut en effet que le lecteur soit invité à *déchiffrer* le
roman, à voir en lui un palimpseste ou un labyrinthe,
alors que le roman traditionnel, où tout est expliqué,
converti en descriptions et analyses magistrales,
n'exige pas le même effort à la lecture, mais ne possède aucun mystère et ne correspond pas à la vie
réelle, où nous devons aussi *déchiffrer* la réalité. Aussi
les romans de Butor — qui reconnaît sa dette envers
Joyce — sont faits de mythes et d'allégories en fili-
grane. Le premier, *Passage de Milan* (1954) semble
être à première vue un roman « unanimiste » : la
vie d'un immeuble parisien, de six heures du soir
aux dernières heures de la nuit. On y voit, à chaque
étage, plusieurs familles qui vivent simultanément
et s'entrecroisent dans l'escalier. Une coupe verticale
de l'immeuble les montrerait chacune dans son casier.
Puis il y a des échanges entre les casiers, un jeune
homme qui vit dans une chambre du sixième descend

---

1. Jean ROUDAUT : *Michel Butor ou le livre futur*, p. 19, Gallimard, 1965.

dîner chez ses tantes au second, après avoir fait une visite au quatrième; des domestiques, des visiteurs, passent d'un étage à l'autre; et dans la soirée une partie des habitants sera réunie au cinquième pour l'anniversaire d'une jeune fille, au cours d'une petite fête qui se terminera tragiquement... Échec à la reine...

Car *Passage de Milan* se déroule secrètement comme une partie d'échecs, sur le damier dont appartements et étages constituent les cases. Et le roman se compose comme l'œuvre d'un peintre plus ou moins abstrait, dont la toile forme un damier où il doit placer et suggérer des figures et des pions qui se meuvent. Le livre ressemble à ces toiles de Klee dont le titre est *Composition*. Cette interprétation est suggérée par l'auteur lui-même, puisque Butor place au cinquième étage un artiste peintre, Martin de Vere, qui est précisément en train de travailler à une énorme toile en forme de damier sur lequel se meuvent des figurines. Bien plus, dans cette évocation picturale et semi-abstraite d'une partie d'échecs, Martin de Vere cherche à reproduire le mouvement d'un bas-relief égyptien de Saqqarah, fait de figures superposées par étages et passant d'un étage à l'autre... Et c'est ainsi que la composition secrète de cette fresque unanimiste d'un immeuble parisien a été inspirée à Michel Butor par son séjour en Égypte...

On ne s'étonnerait pas que chez un peintre qui aurait vécu en Égypte ou au Japon certaines visions de Paris, et la composition de « tableaux parisiens », restent alimentées, dans la manière et dans la construction, par sa « période » égyptienne ou japonaise, comme c'est le cas pour Foujita... On admirerait au contraire cette imprégnation et cette transposition. Pourquoi devraient-elles paraître plus étranges en littérature qu'en peinture, si l'on admet que le roman puisse être non seulement une lecture de divertissement, mais aussi une œuvre d'art, avec toutes ses exigences et avec tous ses postulats?

*
* *

Le roman avait été un genre hybride, où l'artiste se soumettait à la matière. Flaubert était un artiste, mais son but restait de fournir une relation précise de la vie d'Emma Bovary, une description exacte d'Yonville. Stendhal s'enthousiasmait pour la destinée de Julien Sorel, mais il se contraignait à suivre historiquement, psychologiquement, socialement, les étapes de sa vie. Le romancier restait guidé par son « sujet ».

Peintres, musiciens, et poètes par la suite, avaient eu une plus grande liberté. Paolo Uccello ne s'asservissait pas à rendre compte d'une « *bataille* »; il avait pour préoccupation de placer le mors d'un cheval au centre géométrique d'un tableau composé de croupes et de ventres de chevaux, vus en raccourci. Et lorsque l'on peignait *Le Mariage de la Vierge*, on ne fournissait pas une documentation sur le mariage hébraïque au 1er siècle avant Jésus-Christ. On plaçait sur la toile des tons, des formes, des couleurs, des personnages. Tant mieux s'il en ressortait une impression mystique. Mais le point de départ du peintre n'était pas une *réalité* à *copier* ou *reproduire*. Le peintre partait d'un certain schéma de lignes, de volumes, de perspectives, et y plaçait ensuite son « sujet » : le sujet venait *ensuite*. Ainsi, dans *Passage de Milan*, Michel Butor imagine des juxtapositions de figures sur cinq étages superposés, et ce n'est que secondairement qu'il fait de cette image originelle la coupe verticale d'un immeuble parisien à six heures du soir...

De Proust à Butor, le roman a conquis la liberté de composition, sans asservissement au sujet, comme la peinture. Butor construit les figures de son roman dans l'espace et leur donne ensuite un sens romanesque. Mais Proust avait déjà procédé ainsi. Il n'avait pas cherché à raconter sa vie, ni à faire l'histoire d'une société; il avait placé dans le temps des thèmes à la fois romanesques et musicaux, les faisant jouer entre eux sans se préoccuper d'en faire une « histoire » logique et bien narrée.

Disposer des « motifs » dans le temps comme Proust et comme les musiciens, ou dans l'espace, comme Butor et comme les peintres, telle est la création... L'œuvre du créateur est une « composition », non une reproduction du réel. Après quoi, le musicien peut donner un titre à sa composition musicale, et l'intituler *Musique de l'eau*, le peintre aussi peut intituler *Paysage* ou *Noces de Cana* ce qu'il a d'abord construit, senti et pensé avec des lignes, des formes et des couleurs : primauté de la forme sur le sens.

L'art romanesque devient alors un art de la « composition », une composition ésotérique qui rappelle celle des tableaux très étudiés, qui va même jusqu'à prendre un sens occulte en jouant sur les symboles et sur les alchimies. Le « réel » et le « symbolique » se mêlent, comme dans cette œuvre à la fois réaliste et presque cabalistique qu'est *Au-dessous du volcan* (1947). Malcolm Lowry — un Anglais à la vie aventureuse, né en 1909, mort en 1957 —, fit de ce livre une sorte de Somme romanesque, dont le mérite est d'être à la fois mythe et réalité.

*
* *

Au-dessous du volcan est la dernière journée que
vit sur terre, le 2 novembre 1938, jour des morts,
le consul de Grande-Bretagne à Quauhnahuac
(Mexique), Geoffrey Firmin. Comme dans *Ulysse* (et
aussi bien dans *Passage de Milan*), tout se passe en
un jour. Chaque chapitre est déterminé, et a une
heure précise : le roman, dit Lowry dans sa préface,
« *se compose de douze chapitres et le corps du récit est
contenu dans une journée de douze heures. De même,
il y a douze mois dans une année et le livre entier est
enclos dans les limites d'une année, tandis que cette
couche profonde du roman ou du poème qui se rattache
au mythe se relie, ici, à la Kabbale juive où le nombre
douze est de la plus haute importance* ». Lowry a le
même attachement que Joyce pour un ordre secret,
pour une structure secrète du roman. Pourtant, son
procédé n'est pas manie puérile d'amateur de sciences
occultes. La construction symbolique du roman n'est
qu'une manière de lui donner sa forme : « *La Kabbale est utilisée ici à des fins poétiques parce qu'elle
représente l'aspiration spirituelle de l'homme.* » Le
symbolisme cabalistique constitue un moyen de
construction, une « catégorie » de l'imagination que
Kant avait négligée (puisqu'il n'a examiné que les
catégories de l'entendement...).

Les douze heures de cette journée du 2 novembre
ressemblent, comme chez Joyce, comme plus tard
chez Butor, à une sorte de jeu de l'oie : le héros du
livre doit passer par certaines cases, tomber dans le
« puits », revenir à la case numéro un, payer une
amende, etc. Symbole de la destinée humaine, qui

s'accomplit par étapes, et avec une certaine règle
du jeu.

Sur le plan de la réalité immédiatement visible,
de la réalité superficielle, tout commence, dans les
premiers chapitres, par la marche hésitante de Geoffrey Firmin, perdu d'éthylisme, dans les rues de
Quauhnahuac. On retrouve là le Mexique vrai, celui
des petites villes sans touristes, une odeur de poussière et de plâtre, les ruelles où poussent entre les
pierres les figuiers de Barbarie, les avenues mes-
quines ornées de mimosas municipaux, les magasins,
les *cantinas*, des hommes du peuple en chemises gri-
sâtres ou kaki, des fonctionnaires mexicains en ves-
ton médiocre et immaculé; le séduisant Français de
service, Jacques Laruelle, des patrons de bar...
Au-dessus de tout cela, la silhouette d'un volcan,
qui domine le paysage. C'est une belle vallée pour
y mourir...

Ivre dès son petit déjeuner, Geoffrey Firmin
commence cette journée cruciale qui sera son dernier sillon. C'est le jour où sa femme Yvonne, qui
l'a abandonné un an plus tôt, revient le voir à Quauhnahuac. Elle y retrouve Laruelle, dont elle fut la
maîtresse autrefois, et aussi Hugh Firmin, le frère
du Consul, qui tente, en quelques heures, de la
séduire. Et tout le livre sera fait pour Geoffrey de
ce triple événement : le retour d'une épouse en
instance de divorce, la visite d'un demi-frère, puis
un drame quasi policier. Douze heures, où tout s'en-
chaîne, se répète, où les dés sont jetés une dernière
fois, jusqu'au dernier chapitre et à la dernière heure
où Geoffrey sera abattu par malentendu dans des
circonstances sordides, mais pourra mourir réconci-
lié avec lui-même.

5

Il s'agit donc simplement des douze dernières
heures de la vie d'un homme, mais où tout est ras-
semblé, des déchets et des espoirs d'une vie. Comme
autrefois la tragédie, le roman ésotérique se concentre
dans une très brève durée, se contraignant ainsi à
donner un sens symbolique aux douze coups d'une
horloge. Geoffrey Firmin est soumis à sa dernière
épreuve avant de comparaître devant Dieu. Sa vie
se récapitule dans les rencontres ultimes de cette
dernière journée. Tout revient une dernière fois pour
lui, de son passé et de ses échecs. Même cet épisode
bien ancien dans sa vie, le souvenir du jour où pendant la guerre, commandant d'un chasseur de sous-
marins, Geoffrey Firmin laissa s'accomplir un « crime
de guerre », et permit à son équipage de jeter dans la
chaudière les officiers faits prisonniers sur un sous-
marin pirate de l'ennemi... Ce remords d'une action
de guerre passée depuis bien longtemps, n'était-il
pas pour Geoffrey Firmin une sorte de péché originel?

Mais péché originel, erreurs, errances, amours per-
dues, déchéance physique et morale, tout va s'abolir
et se racheter dans ces douze heures dernières.
Au-dessous du volcan est l'itinéraire d'un purgatoire,
avant la mort. C'est une passion, mais une passion
de l'homme.

Tout y est symbolique, tout y est réel aussi, et
même pittoresque. Firmin suit une sorte de calvaire,
et les lieux par où il passe ont une signification symbolique, comme les cases d'un damier et comme ou
comme les étapes d'une initiation mystagogique.
Lieux vrais, réels, décrits avec précision et même
avec charme, hallucinants par une certaine forme
de présence et de réalité : le jardin de la villa où
habite le Consul, quelques *cantinas*, le jardin public,

la route de Tlaxcala où se dénouera le livre, ou
encore la fête foraine, au-dessus de laquelle tourne le
symbole obsédant de la Grande Roue, avec ses douze
wagonnets suspendus... C'est l'envers du Mexique
officiel, l'envers aussi d'une destinée, puisque Quauhnahuac est le plus infime consulat où puisse échouer
un agent diplomatique en disgrâce... Rien dans le
décor, abondant, mouvant, et même coloré, ne laisse
trop visiblement deviner la construction ésotérique
du roman. Celui-ci peut être lu sur deux plans, sur
le plan de la réalité et sur celui du symbole. Il est
pourtant riche d'implications invisibles, truffé de ces
allusions et de ces sous-entendus que Joyce affec-
tionnait... On y retrouverait des phrases entières de
Marc Aurèle, de Shelley ou de Keats, si bien insérées
dans le contexte qu'elles sont impossibles à déceler.
Comme *Ulysse*, il est composé en mosaïque, mais de
manière plus immédiate, plus fluente, plus « romanesque », sans jeux de style apparents. Roman réaliste et roman allégorique à la fois, *Au-dessous du
volcan* répond au paradoxe proposé par Joyce.

VII

L'UNIVERS MUTILÉ : DE KAFKA A BECKETT

Une grande légende indéchiffrable, une Somme
de vie aux multiples facettes, c'est ce que sont
devenus déjà dans notre mémoire littéraire *La
Recherche du temps perdu, L'Homme sans qualités* ou
Le Quatuor d'Alexandrie. Le roman s'y fait épopée,
mais épopée de la conscience. Dédaignant l'intrigue
unilinéaire du récit, il s'offre sous forme de composition musicale, ou sous la forme d'une architecture
inattendue qui semble à première vue celle d'un
labyrinthe. Proposant une composition complexe,
soumise à tous les effets de perspective ou d'illusion,
il donne l'impression de ne pouvoir épuiser la réalité
qu'il met en jeu.

Sous le conte et la chronique, derrière les visions
confuses ou brutales qui forment un grand ensemble
inachevé, s'impose comme un mystère qui demeure
une énigme, et dont la clef ne doit pas être fournie
par l'organisateur de ces étrangements : en même
temps qu'une réalité difficile à interpréter, le roman
devient *un mythe.*

* * *

Enrichi de mythes et d'alchimies au point d'en
devenir ésotérique, le roman joycien est à la fois

réalité et légende. A une aventure humaine, il super-
pose une sorte de sens second. Tandis que vivent et
s'agitent les personnages d'*Au-dessous du volcan*, l'un
d'eux, perdu dans sa vie terrestre, imagine que « *haut
dans le ciel, il y avait peut-être une autre mer, où le
soc de l'âme traçait son invisible sillage* [1] ».

Chez Joyce, chez Musil parfois, chez Malcolm
Lowry, chez Michel Butor, la réalité romanesque
devient mythique parce qu'elle est *sursaturée* de
« significations ». Tout ce qui y advient a un sens,
plus ou moins caché. Tout fait réaliste y prend place
dans un contexte symbolique, et l'intrigue se confond
avec une légende tacite. Le lecteur est sollicité de
retrouver, dans le roman, les symboles psychologiques, structurels, phénoménologiques, ou spiri-
tuels, qu'il comporte... L'univers dans lequel on
entre ainsi est un univers multiple, où tout événement réel a plusieurs interprétations et plusieurs
sens; c'est un univers de *sur-signification*.

Le même effet avait été obtenu par Kafka en
utilisant le procédé inverse; un univers de *sous-
signification*, où les faits de la vie quotidienne, au lieu
de prendre un sens ésotérique, devenaient absurdes
dans un monde sans lois.

Kafka fut dans la littérature européenne le contemporain de Joyce. Peu d'écrivains inspirés par Joyce
ne le furent pas aussi par Kafka, et l'art de l'allégorie
romanesque reste le même dans les deux écoles. Seuls
les postulats du roman sont inversés. Dans le roman
joycien, la réalité superficielle des faits et des événements recouvre un mythe qui donne une signification à l'aventure romanesque; dans le roman kaf-

---

1. Malcolm Lowry : *Au-dessous du volcan*, p. 185, Éd. Buchet-Chastel.

kaïen, le récit retrace une série d'épisodes qui n'ont aucun sens dans un monde dont le sens est suspendu... Dans les deux cas, la *signification du monde est mise en question*, qu'elle soit surestimée dans le lyrisme et l'allégorie nés de Joyce, ou qu'elle soit sous-estimée dans le drame solitaire et obscur des héros de Kafka.

Involontairement peut-être (puisque son intention véritable était celle d'un écrivain réaliste et banal), Kafka a créé et imposé, dans sa vie littéraire posthume, quelques mythes d'angoisse et d'absurde où l'imagerie romanesque de notre temps a trouvé ses formes négatives. Si l'on s'en tient à ses ouvrages les plus connus et les plus vulgarisés aujourd'hui, *Le Procès* et *Le Château*, Kafka envoûte le lecteur en retirant toute signification à une histoire banale — à l'inverse de Joyce, qui fascine en donnant des significations multiples à une geste familière... Dans *Le Procès*, un homme anonyme (aucun détail n'est donné sur sa famille, son adolescence, sa vie), qui s'appelle K., apprend qu'il est « accusé ». Il ne saura jamais quel délit ou quel crime on lui impute, il va trouver un avocat, il se renseigne, il erre, il ne parvient jamais à rencontrer le juge chargé d'instruire son « procès ». Il circule alors dans une Prague fantomatique, se fait recommander par sa logeuse auprès des autorités judiciaires, se promène, enquête sur son propre « procès », sans savoir quel est le motif d'accusation. Puis, de plus en plus inquiet, il multiplie les démarches, dans une sorte de fièvre progressive et dans un monde de grisaille, jusqu'à ce qu'il soit exécuté, sans procès et sans jugement, dans un terrain vague, par deux inconnus...

Tout est cohérent dans *Le Procès*, et tout y est

mené par la terrible logique d'une obsession, qui fait
à l'avance de K. un condamné... Pourtant tout le
roman est fondé sur un postulat invraisemblable :
que jamais K. ne se demande de quoi il est accusé,
ni par qui, ni pourquoi?

Si cette omission est volontaire, si le roman est un
mythe, on peut y voir un symbole de la condition
humaine, comme on l'a fait tant de fois. Mais la force
du livre tient alors dans cette proposition arbitraire
qui consiste à supprimer le contexte rationnel-social,
psychologique, politique — grâce auquel l'aventure
de K. prendrait un sens normal, banal, et serait
réinséré dans la vie commune N'en est-il pas de
même dans *Le Château*, où l'arpenteur-géomètre
Joseph K arrive dans un village distant de quatre
kilomètres du domaine où l'on a sollicité ses services?
Parvenu là, il apprend qu'il est « difficile » d'aller
jusqu'au château; la grille n'est pas ouverte; les
maîtres du château sont souvent absents. En fait,
personne ne les connaît. Ainsi prévenu, mis en garde,
dérouté, Joseph K. reste au village, y croupit, y
moisit, s'y installe, y trouve des aventures — attendant toujours un moyen d'entrer en communication avec ces invraisemblables employeurs qui l'ont
appelé et convoqué, mais qui semblent impossibles
à atteindre.

Là aussi, l'envoûtement du roman repose sur une
donnée arbitraire : tout homme dit « normal » et
qui se trouverait dans la situation de Joseph K.,
ferait à pied les quatre kilomètres qui le séparent
du château, essayerait de forcer ou d'escalader la
grille, et irait demander des explications.... Or, cela,
Joseph K. ne le fait jamais; il n'y pense même pas...
L'univers absurde de Kafka est fondé sur une *muti-*

lation de la réalité : une réaction « normale » est ôtée à ses personnages. K. et Joseph K. ressemblent à tous les autres hommes, sauf sur un point, où ils ne réagissent pas comme eux : comme ces animaux de laboratoire à qui un biologiste a fait quelque encéphalotomie qui leur retire un réflexe...

Un homme impuissant dans un univers absurde, telle est la « situation phénoménologique », et, en un autre sens, le mythe, qui définissent l'atmosphère du roman kafkaïen. On se trouve entièrement à l'opposé de Proust ou de Lawrence Durrell, chez qui la réalité a *trop* de significations possibles, devant un narrateur qui l'interroge trop fébrilement.

Mais les extrêmes se rejoignent : que le monde ait *trop* de sens (Proust, Gide, Musil, Durrell) en face d'un héros trop exigeant, ou qu'il devienne absurde pour un héros qui n'a *pas assez* d'exigence comme chez Kafka, le résultat est presque le même : l'univers romanesque devient une fantasmagorie. Peu importe qu'elle soit une fantasmagorie de la surabondance de sens, ou une fantasmagorie de l'absurde.

*
* *

« *Dans le spectacle littéraire, deux idéologies du roman se sont tour à tour et fortement imprimées depuis soixante ans environ (...). La première d'entre elles, c'est le roman du flux et du souterrain, du courant souterrain : cela commence avec Henry James, se poursuit avec Proust et Joyce, et dans une troisième et une quatrième vague, avec Faulkner et Virginia Woolf, avec Claude Simon (...). L'autre idéologie c'est — disons : le roman du « là ». Lorsque K. entrait*

dans l'auberge, au pied du Château, « il y avait encore
« quelques paysans attablés. » Quand il se réveille, « les
« paysans étaient toujours là »; simplement « quelques-
« uns avaient fait tourner leur chaise pour mieux
« voir ». Ensuite, il y a eu le marronnier de La Nausée,
les vis du cercueil dans L'Étranger. *Il y a aussi*
cette épigraphe que Robbe-Grillet a mise en tête d'un
précoce article sur Beckett, et qui est attribuée à Hei-
degger : « La condition de l'homme, c'est d'être là » (...).
Et voici le texte de Robbe-Grillet, qui a paru dans la
N. R. F. de juillet 1956 : « Dans cet univers roma-
« nesque, gestes et objets seront « là » avant d'être
« quelque chose » [1]. *»*

Cet univers du « là », cet univers de l'homme
passif, la vaste postérité de Kafka l'a exprimé, de
1940 à nos jours. Dans les grands romans de Dino
Buzzati, comme *Le Désert des Tartares*, des soldats
montent la garde dans des fortins parsemés au
milieu du désert. Mais depuis des dizaines d'années,
peut-être depuis des siècles, ils ont oublié quel pays
ils protègent, et de quel ennemi ils se défendent...
Leur situation de troupes de couverture est devenue
une situation d'enfants perdus, leur vie de pionniers
s'est transformée en vie de garnison. On sait que
c'est, aussi bien, le sujet du *Rivage des Syrtes*, de
Julien Gracq.

Pour Buzzati comme pour Gracq, il ne s'agit,
comme chez Kafka, que d'offrir un univers minutieux et parfaitement logique, dont un seul principe
— l'essentiel — a été retiré : contre qui ces garni-
sons sont-elles en service? En excluant cette question, le roman devient irréaliste et « absurde »,

1. Jean-Pierre FAYE : *Nouvelle analogie?*, dans *Tel Quel*, n° 17, printemps 1964.

comme l'était *Le Château;* que l'on néglige, dans
le roman, de poser une question, ou de définir un
aspect de la situation, et il se transforme en énigme
et en mythe. Il exprime alors, symboliquement, une
certaine vision littéraire du monde : un univers où
il manque, sur un point, sur un seul, une explication.

Le roman ne peut plus alors qu'évoquer une
réalité partiellement et délibérément inexplicable.
Il devient ce roman du « là » tel que le caractérisait
Jean-Pierre Faye : les hommes y sont placés dans
un monde dont toute signification a été retirée à
l'avance. C'est ainsi que, chez Maurice Blanchot,
qui fut un des premiers kafkaïens de France, on
ne trouvera, dans *Thomas l'obscur* (1950), qu'un
homme qui marche près de la mer, parcourt un
dédale dans des hôtels et dans des chambres, rencontre une femme, Anne, puis s'en va vers la mer :
« *Chute prolongée, pesante (...), Thomas, aussi, regarde
ce flot d'images grossières, puis quand ce fut son tour
il s'y précipita, mais tristement, désespérément, comme
si la honte eût commencé pour lui* [1]. »

Chacun des romans de Maurice Blanchot (*L'Arrêt
de mort*, 1948; *Au moment voulu*, 1951) est, comme
Thomas l'obscur, un labyrinthe. On y marche au
long d'interminables couloirs, tout s'y passe entre
personnages dont on ne sait d'où ils viennent ni
où ils vont. Et rares sont ces personnages, car le
thème essentiel est celui de la « *marche* » d'un personnage central égaré dans un monde incompré-
hensible. Combien d'autres romanciers, par la suite,
reprendront ce thème, et le vulgariseront! De 1960
à 1966, tout le nouveau roman, et le cinéma français,

---

1. Maurice BLANCHOT : *Thomas l'obscur*, pp. 174-175, Gallimard, 1950.

du film *Hiroshima mon amour* à un roman comme *Le Cheval d'Herbeleau*, de Robert Husson, sont hantés par cette image d'un homme, vu de dos, marchant comme en cauchemar, à la recherche de son destin, par ce « *personnage anonyme* » qui est un *homme qui marche. Dans la ville, couvrant un pays entier, sur une île, à l'intérieur d'une maison : que signifie cette errance [1] ?* », dit Ludovic Janvier à propos des romans de Beckett.

*   *
*

Un univers informe, un personnage doucement et fatalement désespéré; un héros dont on ne sait rien, et un vague décor dont on ne comprend pas davantage où il se situe; telle est la mise en scène des romans de Samuel Beckett, *Murphy* (1947), *Molloy* (1951), *Malone meurt* (1952), *L'Innommable* (1953), *Comment c'est cela* (1962).

Le succès de son œuvre dramatique a signalé Beckett au monde entier et a fait connaître ses romans, qui auraient pu passer inaperçus sans cela. Leur puissance tient à la fois à leur sincérité et à leur artifice : disciple de Joyce quant au langage, Beckett est, dans l'imagination romanesque, un involontaire et étonnant émule de Kafka.

Spontanément, avec conviction, sans même se rendre compte qu'il exploite une veine déjà connue, Samuel Beckett a exprimé, depuis 1947, un sentiment de l'existence grise, d'où toute signification est retirée, au profit d'une angoisse misérabiliste et lyrique. Rien d'autre dans ses romans que l'errance pathé-

---

1. Ludovic JANVIER : *Une parole exigeante*, p. 27, Éd. de Minuit

tique d'un homme mutilé dans un univers privé de signification. Dès *Murphy*, en 1947, tout se réduit dans le livre à un être humain frustré et innocent, à une situation romanesque qui appartient à la paranoïa allégorique. Les personnages de Beckett vivent dans la déréliction totale; sans parents, sans enfants, sans famille, sans situation sociale. Et, bientôt, sans bras et sans jambes, comme dans *Fin de partie*. Il ne leur reste que la possibilité de parler et de dire leur misère, et c'est pourquoi Beckett est passé du roman allégorique au lyrisme dramatique... Mais dans un texte romanesque comme *Molloy*, en 1951, Beckett adoptait la forme extrême du roman absurde et violent, tel qu'il pourrait se comparer aux images cruelles et sadiques des dessinateurs d'humour noir, Faizant ou Topor. *Molloy* est à la fois un roman, une épopée sarcastique, et une lamentation. C'est l'histoire d'un homme, Molloy, qui part à bicyclette pour aller rejoindre sa mère malade, tandis qu'un autre personnage, Moran, se met en route de la même manière, avec son fils, pour rattraper Molloy. Mais tous ces personnages sont pratiquement unijambistes, et tout le roman sera une épopée de cyclistes éclopés, lentement égrenée et évoquée dans un monde sordide.

Invraisemblable, arbitraire, saugrenu, fantasmagorique, est le point de départ de *Molloy*, car en 1951 personne n'utilisait la bicyclette pour aller secourir à mille kilomètres une mère malade. Beckett introduit le lecteur dans un monde obsessionnel et truqué, comme le fit autrefois Kafka. Mais l'envoûtement opère, la fascination prend toutes ses puissances, et le roman mythique de Beckett s'impose par là même.

★
★ ★

Peut-on imaginer un roman qui se passe *n'importe où*, et dont le personnage soit *n'importe qui?*
Telle est du moins l'entreprise, qui, de Kafka à
Beckett, a créé des œuvres obsédantes. Et l'on
retrouvera ce mythe dans le nouveau roman français après 1954, chez Robert Pinget, par exemple.
Comme Roland Barthes a songé à un « *degré zéro
de l'écriture* », à un style neutre et sans partis pris,
il arrive que le romancier rêve d'une sorte d'extrême
du roman où tout est *anonyme*, à commencer par
le héros : une expression de vie romanesque où il
n'y a plus de noms, de prénoms, d'état civil. Il
n'existe plus, au centre du livre, qu'un personnage
indéterminé, sans nom et sans origine, comme dans
Ouverture, de Jean Thibaudeau (1966). Et en allant
encore plus loin, on aboutit au roman sans personnage : *Drame*, de Philippe Sollers, en 1965.

Telle est une des directions de cet art romanesque
dans lequel le roman perd progressivement tout son
contenu traditionnel, pour devenir poème ou exercice d'écriture, et c'est là la tendance du groupe
Tel Quel, rattaché aux Éditions du Seuil. A première vue, on pourrait penser qu'elle constitue une
impasse. On pourrait dire que lorsqu'on supprime
tout — décor, récit, personnages —, il ne reste plus
rien. Plus rien que l'écriture pour l'écriture. Ne
fut-ce point là l'obsession de pureté de Mallarmé?
Et celle des peintres que l'on peut appeler des
« informels »?

VIII

A. ROBBE-GRILLET ET LA SACRALISATION DU ROMAN POLICIER

Dans cette obsession de la pureté qui caractérise le roman « négatif » et austère de Kafka à Beckett et à Philippe Sollers, le genre romanesque semblerait devoir aboutir à sa propre dissolution; à refuser tout *contenu* romanesque.

Mais ce n'est là qu'une des tendances de la mise en question du roman, une tendance extrémiste dont l'avenir semble incertain. En face de cette option puritaine et désespérée, les écrivains les plus célèbres du « nouveau roman » ont affirmé et soutenu au contraire la valeur de l'*intrigue*, sous sa forme la plus évidente, la plus populaire et la plus romanesque : tous les livres de Michel Butor et d'Alain Robbe-Grillet sont des romans policiers, même s'ils sont difficiles à lire en tant que tels.

Joyce avait utilisé la construction épique de *L'Odyssée*. Dans son premier livre, *Les Gommes*, en 1953, Robbe-Grillet fait appel au mécanisme du roman policier sous sa forme la plus simple : l'histoire d'Œdipe...

Rien pourtant n'est visible à première lecture, car tout est présenté, sans la moindre explication, à travers les sensations de quelques personnages, à

travers leur monologue intérieur, comme dans certains livres de Faulkner. Tout se passe en vingt-
quatre heures, dans une ville qui ressemble à Amster-
dam ou à Vienne, Livourne, dans des décors à la
Chirico. Le policier Wallas arrive dans la nuit pour
enquêter sur un meurtre : la veille, à 7 h. 30, un
homme a tiré sur le professeur Dupont, qui se trouvait dans son bureau. (On peut supposer qu'il s'agit
d'un acte de terrorisme politique, comme à l'époque
des attentats de l'O. A. S., mais Robbe-Grillet ne
précise pas.) La journée de Wallas est consacrée à
l'enquête, et tout le livre est fait de la fièvre de
cette journée : non seulement dans l'esprit de Wallas,
mais dans l'esprit du commissaire, dans l'esprit du
tueur Garinati... C'est déjà — comme souvent, par
la suite, chez Robbe-Grillet — un *labyrinthe*. On
nous livre des sensations, des images, des pensées...
Nous ne savons jamais très bien si ce sont celles de
Wallas ou celles de Garinati, nous nous perdons
un peu dans ce langage de l'immédiateté. Pourtant
l'enquête tourne, se resserre peu à peu, se précise
en se compliquant. En fait, le professeur Dupont n'a
pas été atteint par la balle de Garinati; mais, crai-
gnant une répétition de l'attentat, il s'est réfugié
dans une clinique, et la presse du jour avait annoncé
son assassinat.

Pourtant, le professeur Dupont revient clandestinement dans son bureau, vingt-quatre heures exactement après la tentative de meurtre, pour y prendre
des papiers. Mais le policier Wallas, qui sait qu'un
assassin revient toujours sur les lieux de son crime,
se trouve aux aguets, attendant Garinati. Le professeur est armé, le détective aussi; une méprise a
lieu, et c'est le policier qui tue la « victime ». Le

meurtre a été commis finalement par le détective chargé de découvrir l'assassin : exactement à l'heure prévue, 7 h. 30, mais une journée plus tard.

Difficile à débrouiller et à reconstituer dans le flot des monologues intérieurs, dans un style qui mêle la subjectivité de divers personnages, cette intrigue des *Gommes* semblerait à première vue une habile invention dans le domaine du roman policier, et un exemple de cette ingéniosité qui marquera tous les romans de Robbe-Grillet. En elle-même, cette histoire cyclique possède sa fascination, comme un jeu du destin, et elle est d'autre part nourrie de divagations, de pensées confuses, de pittoresque, qui ne sont pas sans rappeler Joyce.

Mais le roman possède encore une autre « clef », à peu près impossible à découvrir en première lecture. Lorsque le policier Wallas commence à visiter, dans son enquête, la ville où il a été envoyé, il la reconnaît peu à peu; c'est la ville où, lorsqu'il avait huit ans, sa mère l'a emmené à la recherche d'un père qui refusait de le reconnaître. Enfant non légitimé, Wallas retrouve dans cette cité de canaux, de ponts suspendus, de places et de façades, les souvenirs d'une des plus tristes aventures de son enfance, et les souvenirs de sa mère. Il tarde à comprendre — et il ne le comprendra jamais, c'est seulement le lecteur qui le devinera —, que dans cette ville vivait son père : ce professeur Dupont que Wallas est venu défendre contre les attentats terroristes, et que, par un malentendu, il tue de sa propre main. Wallas est Œdipe, et son drame s'achève lorsqu'il assassine son père sans le savoir...

On peut passer sur quelques invraisemblances et sur la naïveté de Wallas, ce détective qui n'avait

jamais sérieusement entrepris de retrouver son père
et avait oublié jusqu'au nom de la ville où ce dernier
vivait... Ce n'est pas la vraisemblance que cherche
Robbe-Grillet, mais la fascination. *Les Gommes* est
un roman ésotérique, un roman à plusieurs épaisseurs, à plusieurs possibilités de sens successifs.

Au premier abord, il présente, de l'intérieur, le
désordre et le désarroi de quelques hommes — un
policier, un commissaire de police, un assassin
— autour d'un meurtre. Ce sont des bouffées de
conscience, des efforts de réflexion : une réalité impré-
cise, brumeuse et brutale, car elle n'est jamais expli-
citée, elle livre sans commentaires, au cours des
heures, les sensations, les angoisses, les délibérations
tronquées et les gestes inattendus de quelques personnages — que l'on a d'ailleurs du mal à identifier.
Bien plus, des scènes imaginaires se mêlent aux
scènes réelles. Puisque tout se passe dans la tête de
Wallas, de Garinati, ou de quelques personnages
secondaires, nous assistons aussi bien à ce qu'ils
vivent réellement qu'à ce qu'ils pensent ou ima-
ginent. Et rien ne permet de distinguer les scènes
réelles des scènes imaginaires (il en sera de même
dans le film *L'Année dernière à Marienbad*).

Les Gommes sont d'abord, comme *Ulysse* de Joyce,
une évocation hétérodoxe de la réalité, où les coordonnées normales du récit et de la description (le
souci balzacien de situer *extérieurement et positive-
ment* les lieux, les personnages et l'action) sont aban-
données en faveur d'un pandémonium de sensations
et de perceptions incohérentes, captées presque au
hasard dans la cervelle de quelques personnages... Il
faut suivre le roman dans cette série de fièvres et
d'illuminations, sans points de repère... Mais pour-

tant, à la longue, ce que l'on pourrait appeler l'*action*
du livre se laisse entrevoir : une sorte de mécanisme
tragique, de « machine infernale », comme disait Cocteau sur le même thème. C'est l'intrigue, dans toute
son ingéniosité cruelle : le détective amené par le
destin à commettre lui-même le crime, une sorte de
variante ingénieuse et diabolique du roman policier...
Et, en troisième lieu, sur un plan supérieur, pour-
rait-on dire, cette intrigue policière prend encore
une autre valeur, dans la mesure où elle répète en
partie l'histoire d'Œdipe, et coïncide ainsi avec un
grand mythe symbolique.

*
* *

Les Gommes était, dès l'origine, un texte ésotérique
qui, comme chez Joyce, Durrell ou Lowry, voulait
avoir une valeur *totale :* valeur immédiate d'une réalité vécue, valeur dramatique d'une « action » romanesque peu visible mais très rigoureuse, et valeur
mythique rattachant le livre à un des archétypes,
freudiens ou autres, de la conscience humaine.

C'était là le plus complet et le plus systématique
des romans de Robbe-Grillet. De lecture difficile, car,
comme *Ulysse* ou *Au-dessous du volcan*, il ne prétendait pas fournir l'agréable lecture romanesque
du récit traditionnel, mais un roman-mythe sous
les apparences d'un roman-énigme... D'ailleurs, le
roman-énigme caractérisera les textes postérieurs
d'Alain Robbe-Grillet.

Si Joyce s'était plu à faire de son grand roman
dublinois une explosion lyrique calquée sur le plan
de *L'Odyssée*, Robbe-Grillet utilise constamment un
schème qui n'est pas toujours celui du mythe, mais

celui de l'intrigue cyclique et circulaire. Dans *Les Gommes*, le policier Wallas vient, vingt-quatre heures après la tentative d'assassinat, accomplir involontairement cette tentative. Dans *Le Voyeur*, en 1955, le héros du livre accomplit dans un lieu clos (une île, au lieu d'une ville) un double circuit, marqué aussi par un crime; là encore, en suivant l'itinéraire du personnage principal, on retourne, on revient, on recroise ses pas. Dans *La Jalousie* (1957), tout est vu (sinon raconté) par un homme enfermé dans une passion et une obsession qui sont celles de la jalousie; des images sans cesse reviennent en lui, et, toujours, sous des formes différentes, *la même scène :* une scène où le « rival » du narrateur, un soir, écrasa un cloporte sur un mur, pour en préserver la femme que les deux hommes se disputaient sourdement.

Ce n'est plus alors un mythe à proprement parler, mais un procédé d'envoûtement fondé sur la *répétition.* Un texte comme *Dans le labyrinthe*, en 1959, le révèle nettement : tout le roman est fondé sur deux scènes, où un soldat blessé, dans une ville inconnue, rencontre un gamin ou s'assied dans un café. Ces deux scènes se reproduisent, avec des variantes, cinq ou six fois, tandis que le soldat agonisant tourne en rond dans son délire, et l'on ne parvient pas à déterminer si ces répétitions sont réelles, ou si elles traduisent la fièvre d'un personnage qui revoit sans cesse les mêmes épisodes.

Au demeurant, *La Maison de rendez-vous* (1965) reprend aussi six fois la vision d'un assassinat, chaque fois commis dans des circonstances différentes et avec des détails différents. Et dans le film *L'Année dernière à Marienbad*, deux personnages, un homme et une femme, se rencontrent perpétuellement dans les salons ou dans le parc d'un grand hôtel luxueux et baroque, prétendant s'être déjà rencontrés ainsi, sans que l'on puisse savoir s'ils rêvent ou s'ils vivent, répétant sans cesse le même songe et la même rencontre. L'art de Robbe-Grillet se fonde sur ce procédé qui pourrait sembler un artifice, mais qui finit par devenir un mythe. La réalité y est transformée en obsession, le héros du roman revit sans cesse la même scène comme dans un cauchemar.

Les « mythes » de Robbe-Grillet sont visibles. Une sorte d'énigme intérieure au livre est créée par la répétition d'une scène dont on ne sait à chaque fois qu'elle revient si elle est imaginaire ou réelle. D'autre part le roman est fondé sur un mythe « policier » : un assassinat ou un « suspens » de l'action. Cette œuvre romanesque que l'on a accusée de n'être que description extérieure et neutre des objets, hors de la présence de l'homme et de sentiments humains, il est paradoxal de constater qu'elle se fonde avant tout sur une intrigue. Sous l'apparence d'un « nouveau style » qui serait fait de descriptions « objectales », les romans de Robbe-Grillet restent des *romans d'intrigue*. Mais dans ce récit ingénieusement truqué, rendu flou et indéchiffrable, l'intrigue devient une sorte de mythe et de mystère, sous les espèces de l'énigme, et presque de la devinette...

* *

Il y a là une sorte de sacralisation du roman policier, qui trouve entre 1963 et nos jours sa forme hautement littéraire chez les disciples de Robbe-Grillet et de Michel Butor, c'est-à-dire dans un aspect limité du « nouveau roman » : celui qui fait de l'en-

voûtement romanesque un piège pour l'esprit, comme
il advenait parfois chez Edgar Poe. Cet envoûtement
préside par exemple à la construction d'une œuvre
aussi ingénieuse que *L'Inquisitoire* de Robert Pinget : près de six cents pages qui sont, minutieusement,
dans un style neutre, l'interrogatoire, après un crime,
d'un serviteur sourd et gâteux, dont les déclarations
se coupent, s'entrecoupent, se contredisent... et l'on
se demande si un lecteur du livre est parvenu à la
« solution ».

Ces thèmes du labyrinthe et de l'énigme policière,
on les retrouve aussi bien dans *La Mise en scène* de
Claude Ollier. Comme dans *Les Gommes* de Robbe-
Grillet, le décor est insolite et prenant; au lieu d'une
ville truquée de canaux et de ponts suspendus, c'est
un « poste » d'ingénieurs perdus dans le Sahara :
Assammeur. Au milieu des falaises et des sentiers
de caravanes arabes, le lieu même de l'action est un
dédale, dont l'auteur donne le plan géographique en
tête du volume. Et là aussi, un détective-ingénieur
se trouve engagé dans ce labyrinthe qu'est l'histoire
d'un crime; non seulement un crime précis, comme
dans le banal roman policier, mais un crime légen-
daire et plusieurs fois répété... S'il y a « enquête »
de la part du héros du livre, Lassalle, ce n'est pas
la vulgaire enquête d'un inspecteur Maigret, mais
une aventure à la fois minutieuse et pleine de rêve;
celle d'un homme devant qui la réalité est devenue
une sorte de cryptogramme, où se mêlent des faits
positifs et des légendes, le présent et le passé, un
thème cartographique et un thème policier. Le roman
est à la fois une « quête » au sens arthurien, et un
problème semblable à un problème d'échecs. L'univers romanesque a cessé d'être un monde qui se

prête aimablement à l'inventaire et à l'analyse, pour
devenir un monde inconnu, roulant sur des loga-
rithmes, des symboles et des correspondances. Le
héros du roman est devenu Thésée dans le labyrinthe.
Mais au lecteur le romancier ne fournit aucun fil
d'Ariane.

IX

MICHEL BUTOR
ET LES MYTHES ROMANESQUES

L'ANTIQUE rapport entre l'homme et le monde avait été inversé par Proust, par Musil, par Virginia Woolf, et, sous une autre forme, par Kafka. Le monde n'est plus un décor massif et « réel », incontestable sinon immuable, dans lequel le héros de roman vit son aventure. Il est fait d'images floues et multiples, comme dans une lorgnette qui n'est pas au point, et d'images changeantes, comme dans un kaléidoscope. Le monde dépend du personnage, plus que le personnage ne dépend du monde.

Relativisme, subjectivisme, ou, plutôt, phénoménologie... Car Proust, Virginia Woolf ou Lawrence Durrell font de la phénoménologie sans le savoir, comme M. Jourdain faisait de la prose. Le monde n'est plus posé et proposé comme une réalité extérieure où les héros du roman feront leur chemin; il est senti *en fonction* de l'aventure du personnage, il en est inséparable. Balzac montrait Eugène de Rastignac *devant Paris;* Zola mettait en scène Coupeau *dans* un certain cadre de vie des quartiers populaires. Mais Proust n'évoque pas Marcel *dans* une certaine société parisienne, il évoque cette société parisienne *à travers* Marcel. Virginia Woolf ne peint pas Mrs Dalloway *à Londres;* elle suggère le Londres de Mrs Dalloway...

L'affabulation romanesque n'est donc plus *l'histoire* (c'est-à-dire l' « aventure », ou la « destinée ») *d'un personnage défini dans un monde défini.* Au contraire, *le roman consiste en une certaine suite d'événements définis, bien que, éventuellement, difficiles à interpréter. A partir de ces événements, le personnage ne parvient pas à se définir, dans un monde également indéfinissable.*

Tel était déjà l'univers de Proust, et, aussi bien celui de Musil, puisque l' « homme sans qualités » est précisément l'homme qui ne reçoit pas de définitions de la part du monde qui l'entoure, et n'en trouve pas non plus en lui-même. Mais ces formules s'appliqueraient aussi bien au monde de Faulkner; les êtres faulknériens ont leurs instincts, mais ils ne parviennent pas à se situer par rapport à la société économique et morale où ils vivent... Quant à Kafka, il avait précisément imaginé un univers d'où les « significations » étaient retirées...

Il en sera de même dans les tendances qui ont reçu en France le nom de « nouveau roman » après 1953. Dans *Les Gommes,* Alain Robbe-Grillet met en scène un homme inconnu dans une ville inconnue. Le roman est fait — car tout roman est événement — de ce qui *arrive* à cet homme dans cette ville. Mais seuls ces *événements* sont là, sont présents; car on ne parviendra jamais à savoir exactement qui est cet homme, ni ce qui s'est « réellement » passé dans cette ville... Le film *L'Année dernière à Marienbad* présente la même ambiguïté : des trois « réalités » possibles qu'il propose (les deux personnages et le décor), il devrait logiquement y en avoir une qui est *la vraie*, les autres étant imaginaires. Mais il ne sera pas répondu à cette question, même à la fin du film...

Ainsi conçu, sous forme d'évocations plutôt que d'exposé, exprimant la lutte confuse des images mouvantes que l'homme se fait de ses rapports avec le monde, le roman ne peut obéir à la construction logique et unilinéaire du *récit*. Il n'est plus composé comme une ligne, une montée, une évolution. Au lieu d'être un *voyage* qui suit un itinéraire chronologique et psychologique dans un « pays » socialement déterminé, il est une sorte de *puzzle* sans solution. Le romancier d'autrefois ressemblait à un historien. Le romancier phénoménologique ressemble à un physicien comparant et superposant des photographies de trajectoires de particules.

*
* *

Le roman ne consiste donc plus à introduire un personnage sur une scène préparée pour lui, mais définie en dehors de lui. Il est fait des rapports intimes de Mrs Dalloway et de Londres, des rapports intimes de Marcel Proust et des salons parisiens. En 1956, Michel Butor prendra pour sujet de *L'Emploi du temps* l'arrivée d'un jeune Français dans une ville inconnue, Manchester. Mais il se gardera de décrire Manchester, puis d'y introduire Jacques Revel : le livre ne contient aucune vision « objective » de Manchester, il est composé par les images successives, toujours partielles, toujours imprécises, toujours remises en question, que Revel se fait de Manchester au cours de son séjour. Ce n'est pas une lutte de l'homme et du monde, c'est une lutte — entre elles

— des images contradictoires qu'un homme se fait du monde. N'en est-il pas ainsi dans la physique moderne?

Comme dans *Le Quatuor d'Alexandrie*, comme dans *Les Gommes*, *L'Emploi du temps* est découverte d'une ville. C'est la plongée et l'errance d'un homme seul dans un monde urbain et « moderne », présenté en grisaille et en massifs mouvants, dans un dédale que l'on ne finira jamais d'explorer, parce qu'il est inépuisable ou insondable... Certes, ce mythe de la « Ville » vient de loin : des *Mystères de Paris* d'Eugène Sue, du Paris des *Misérables* et du Paris des *Hommes de bonne volonté*. C'est qu'entre 1850 et 1950, dans les atlas géographiques et dans les atlas de l'expérience humaine vécue, les *terrae incognitae*, les espaces vierges de la planète ont cessé d'être (comme encore sur les livres de géographie de 1870 ou chez Jules Verne) le centre de l'Afrique, les savanes du Brésil, le désert de Gobi, les plateaux de la Patagonie. Les zones « inconnues » de la terre sont Paris, Londres, Hong-kong, Tokyo, Buenos Aires, ou encore la ville anglaise de Manchester, qui constitue non seulement le cadre et le décor de *L'Emploi du temps* chez Michel Butor, mais le sujet même du livre.

Un employé de banque français, Jacques Revel, arrive une nuit d'automne à Manchester (que Butor va appeler *Bleston*) pour y faire un stage d'un an. Chargé d'une lourde valise dont la poignée s'est cassée, il cherche en vain pendant plusieurs heures un hôtel autour des trois places — toutes semblables — qui entourent les trois gares toutes semblables de cette ville inconnue. C'est là le thème de l'*errance* de l'homme perdu dans une forêt impéné-

trable (la forêt médiévale de *Perceval* étant devenue
la forêt de la Ville au xxᵉ siècle). Et dans tout le
roman nouveau se retrouvera bien souvent ce thème
de l'homme qui erre, qui marche dans une nuit
interminable : c'est aussi bien K. dans *Le Procès*
chez Kafka, que Wallas dans *Les Gommes* ou que
le héros du film *Hiroshima mon amour*. De ce mythe,
de cette image de l'homme qui marche dans la
ville nocturne, Kafka fut l'introducteur.

Lorsque Jacques Revel, au bout de quelques jours,
a pris son travail dans la banque anglaise qui le
reçoit comme stagiaire, lorsqu'il a trouvé une pension de famille, le voici qui dans son désœuvrement
de célibataire en pension dans une cité peu accueil-
lante s'attache à explorer et à découvrir la ville
qui l'entoure. Elle se présente à lui comme un
puzzle, comme une jungle. Il a acheté un plan de
la ville, avec les lignes d'autobus; il explore et
visite les quartiers, il erre, il flâne, solitaire. En fait,
au milieu de la ville de Bleston, il se trouve dans
la situation romanesque qui pouvait être, cent ans
plus tôt, celle d'un explorateur qui avait planté sa
tente dans une jungle de l'Oubangui. Les mêmes
problèmes se posent : des problèmes de cartographie
(aussi difficiles dans une ville de deux millions d'habitants que dans une brousse de cent mille kilomètres
carrés), des problèmes de contact avec les indigènes,
aussi délicats et hasardeux pour Jacques Revel à
Manchester-Bleston que pour René Caillé ou Savor-
gnan de Brazza dans un continent inconnu, cent ans
plus tôt.

Une fascination s'exerce : la découverte d'un
monde inconnu — la ville de Bleston —, par un
homme qui est entièrement étranger à cette ville.

On retrouverait là le thème du labyrinthe, comme
celui de la « quête », de l'aventure. Et cet envoûtement prend dans le roman de Butor une forme
« policière », puisque Butor appartient à la génération du roman nouveau qui a utilisé dans une littérature subtile les schèmes du roman policier. Et
ainsi un mythe véritablement *policier* s'instaure au
cœur du roman : en essayant d'explorer et de
découvrir cette ville tentaculaire et mystérieuse où
il doit vivre pour un an. Jacques Revel achète un
jour dans un kiosque un roman policier intitulé
Meurtre à Bleston. Bientôt ce livre d'imagination
écrit par un habitant anonyme de la ville (le livre
est signé d'un pseudonyme) lui sert de guide pour
la visiter et pour apprendre à la connaître sous une
forme originale : Jacques Revel s'amuse à retrouver
dans Bleston les lieux où se déroule l'action du
roman policier (comme un Anglais qui visiterait
Paris non en suivant le Guide bleu, mais en suivant
le fil d'un roman de Simenon — ou, plutôt, de
Simonin). Revel invite à dîner un de ses collègues
de la banque dans le restaurant même où le roman
Meurtre à Bleston faisait dîner face à face l'assassin
et la victime... Bien plus, il arrive presque à identifier,
sous le pseudonyme, l'auteur du livre... Or, *Meurtre
à Bleston* était une histoire de fratricide, et le frère
de l'auteur présumé vient de mourir dans des circonstances douteuses... Dans la ville inconnue et
inconnaissable, imperméable, qu'il voulait pourtant
se rendre intelligible, Jacques Revel est sur le point
de découvrir un assassinat réel à travers la confession
déguisée qu'en constitue un roman policier anonyme.

Comme Robbe-Grillet, Michel Butor frôle le roman
« super-policier ». Il a besoin (et c'est la caracté-

ristique du « nouveau roman » dans des années 1955-1960) d'imposer à son livre la prééminence d'une intrigue policière ingénieuse. Ne retrouve-t-on pas le même procédé et la même ingéniosité dans tous les romans de Robbe-Grillet? *Les Gommes* et *Le Voyeur* ont une intrigue policière; *La Jalousie* garde ce caractère dans l'esprit du jaloux...

Une autre subtilité prend doucement et invisiblement sa force dans *L'Emploi du temps*. L'affabulation extérieure du roman policier y rejoint un autre artifice, un autre procédé : *le roman mis « en abyme » à l'intérieur du roman.* A Bleston, Jacques Revel lit sur Bleston un roman policier (fictif) qui l'entraîne sur la piste d'une énigme policière, et le livre qu'il lit est comme une image symbolique de celui qu'il est en train de vivre et d'écrire sous la forme du journal intime...

A cette ingéniosité du roman d'intrigue — car en fin de compte le « nouveau roman » est un roman d'intrigue —, Michel Butor applique une technique romanesque savante et calculée, qui est de l'hyper-Proust, comme son sujet est de l'hyper-roman policier. Il parvient dans *L'Emploi du temps* à faire glisser les unes sur les autres les différentes périodes du séjour de Revel à Bleston, comme Proust faisait glisser les unes sur les autres les diverses époques de sa mémoire et de son expérience, les diverses images qu'il s'était faites de la duchesse de Guermantes.

Esseulé dans cette ville étrangère et brumeuse, presque hostile, Jacques Revel tient un journal de sa vie à Bleston, où il transcrit les étapes successives de sa découverte de la ville et de sa pénétration dans les mystères de Bleston... Mais, minutieusement tenu, le soir, par un employé de bureau après sa journée de travail, ce journal prend du retard sur la réalité. D'ailleurs, c'est seulement au mois de mai que Revel le commence, y transcrivant les premières impressions de son arrivée en octobre de l'année précédente. C'est en juin 1952 (si nous prenons un millésime arbitraire) qu'il relate les errances et les aventures à Bleston qui datent de novembre 1951. En juillet 1952, il écrit encore son journal du mois de mai précédent, sans réussir à combler la distance qui ne cessera d'exister entre le récit d'événements passés et le présent vécu... N'est-ce pas le procédé même qui avait donné à l'œuvre de Proust son épaisseur mythique et sa saveur de mémoire? Dans *L'Emploi du temps*, le procédé est seulement plus visible, plus tenace et plus systématique...

Mais ainsi un dialogue s'institue entre le Jacques Revel d'octobre 1951 et le Jacques Revel de mai 1952, l'un écrivant sous la dictée de l'autre, l'autre courant à la poursuite du premier. Et, dans cette découverte progressive des mystères de Bleston qui constitue le sujet du livre, tout se joue sans cesse sur deux plans, car la ville de Bleston telle qu'on la découvrait en octobre est réinterprétée par la vision plus complète ou plus complexe que Revel en peut avoir lorsqu'en mai il évoque ses explorations d'octobre. Au mythe policier se joint un effet d'optique temporelle que Michel Butor est un des seuls à avoir su créer après Proust. Imbrication des temps les uns sur les autres, passé narré et enregistré dans un présent qui en modifie le sens, mélange des futurs antérieurs, des plus-que-parfait et des conditionnels passés, c'est toute une conjugaison des nuances temporelles : ce que Mauriac avait fait, plus simplement et comme sans y toucher dans *Le Nœud de vipères*, ce que Huxley avait tenté de faire de manière systématique et un peu simpliste dans *La Paix des profondeurs*, ce que Lawrence Durrell avait traité dans *Le Quatuor d'Alexandrie*, avec plus de brio et avec des effets plus visibles. Car peu nombreux restent, malgré tout, dans la transformation du roman en polyphonies audacieuses, ceux qui ont osé jouer sur les orgues du Temps.

Fugue et contrepoint, *L'Emploi du temps* est construit avec une merveilleuse habileté (on retrouvera ces contrepoints et ce glissement des motifs temporels dans *La Modification* et dans *Degrés*). Mais la composition reste fluide, doucement et lentement musicale; et, au-delà de l'entrecroisement des motifs, on perçoit aussi la résonance de thèmes moins évidemment sensibles, c'est-à-dire de thèmes mythiques à peine indiqués. Comme l'immense opéra bouffe d'*Ulysse* reposait sur le schéma de *L'Odyssée*, comme le sec drame lyrique des *Gommes* reprenait l'histoire d'Œdipe, la fugue symphonique de *L'Emploi du temps* est comme une transposition du mythe de Thésée, jeté dans un labyrinthe dont il doit déjouer et dont il doit vaincre le monstre. Le labyrinthe est la ville de Bleston, dont Jacques Revel, dès son arrivée, étudie le plan, avec le trajet des lignes d'autobus, avec les impasses, les zones grises et noires, les culs-de-sac. Ce dédale prend un sens lorsque Revel, ayant lu le roman policier *Meurtre à Bleston*, recommence sa visite en fonction de l'énigme que pose ce roman policier dont l'intrigue apparemment fictive est peut-être la confession déguisée d'un véritable assassin, l'auteur du livre.

6

Cet homme mystérieux, connu d'abord seulement
par un pseudonyme, devient une sorte de Minotaure; et une des rares amies que Revel ait pu se
faire à Bleston, Ann Bayley, joue le rôle d'Ariane...
Tout est prêt dans le livre pour que s'accomplissent
un mythe et un sacrifice rituel : Thésée tuant le
Minotaure, c'est-à-dire Revel dépistant l'auteur de
Meurtre à Bleston, l'homme qui a peut-être tué son
frère... Cette intention, cette signification cachée,
enrichissent le roman d'une sorte de sens ésotérique :
pour Butor (comme pour Robbe-Grillet), l'*acte* romanesque a un sens sacrificiel, comme la *corrida*, comme
la tragédie grecque, et comme le roman policier. Il
constitue une mise à mort, une action tragique,
une purification et une *catharsis*. Le roman policier,
en effet, est fondé sur le même thème que la course
de taureaux, avec tout ce qu'elle a de sacré, d'an-
goissant et d'inéluctable. Peu importe dans le roman
policier que « l'assassin ait tué la « victime » (généralement peu intéressante), car l'essentiel est la
« mise à mort » de l'assassin par le détective. Peu
importe dans la tragédie grecque qu'Œdipe ait tué
son père sans le savoir, car l'essentiel est la « mise
à mort » d'Œdipe par le Destin. Tragédie, *corrida*
et roman policier sont fondés sur le même schème :
un mythe, un archétype jungien, une image sans
cesse répétée par les religions et par les littératures,
une image et un « jeu sacré » dont l'homme a besoin.
Butor a voulu replacer ce jeu sacré dans *L'Emploi
du temps* comme il a voulu replacer dans *La Modification* un autre mythe, celui de la descente aux
Enfers... Peu importe que ce sens caché du livre
n'apparaisse que malaisément à première lecture.

*
* *

Dans les années 1953-1960, l'ambition du « nouveau roman » français était grande (même si elle s'est monnayée ou convertie par la suite). Un Robbe-Grillet ou un Michel Butor, loin de renoncer à l'action romanesque, tendaient au contraire à lui donner sa forme la plus excessive et la plus violente, en rendant sa valeur à l'intrigue, et à la forme la plus exacerbée ou la plus ingénieuse de l'intrigue, c'est-à-dire au roman policier. Pourtant, cette action romanesque, ils la transcrivaient et l'exprimaient dans un style inhabituel, longues phrases de monologue intérieur, procédés romanesques destinés à dérouter le public, mélange de scènes imaginaires et de scènes réelles (chez Robbe-Grillet), jeux du temps et glissement des époques chez Michel Butor. Chacun de leurs livres était une polyphonie brutale ou subtile; et pourtant, en plus de tout cela, il prétendait être, comme *Les Gommes*, ou comme *L'Emploi du temps*, l'expression ésotérique d'un mythe ancien, éternel (le mythe d'Œdipe, le mythe de Thésée), traduit dans un langage entièrement nouveau, impossible à déceler à première lecture dans un texte copieux et lent. Ils n'écrivaient pas mal, mais ils écrivaient long et lourd... Et ce fut peut-être l'achoppement de cette tentative, de cette flambée de nouvelles formes romanesques.

Leurs disciples, leurs émules maladroits ne comprirent pas leur intention de créer un roman total, où devaient se mêler l'ingéniosité, la subtilité, la force mythique et la lourdeur du verbe. Il suffit de lire cent romans studieusement appliqués, entre 1960 et 1966, à imiter les procédés *extérieurs* du « nouveau roman » sans tenir compte de son inspi-

ration réelle, pour comprendre comment, après 1960,
Michel Butor et Alain Robbe-Grillet furent tentés
de se retirer dans leurs tours d'ivoire : pour l'un,
l'esthétique poétique et graphique; pour l'autre, le
cinéma. Au demeurant, pouvaient-ils eux-mêmes aller
plus loin? Dans leurs œuvres de jeunesse, ils avaient
brûlé leurs intentions initiales : *Les Gommes* semblent
devoir être le maximum de puissance tragique de
Robbe-Grillet dans le roman, *L'Emploi du temps*
était sans doute le livre le plus accompli et le plus
ambitieux de Michel Butor.

Ces textes sont aujourd'hui à la fois célèbres et
contestés. C'est que leur ambition était maximale,
mais leur style n'emportait pas la conviction. On ne
fait pas une révolution dans le domaine romanesque
(à moins d'être Joyce, et encore!) en jouant sur les
deux tableaux : l'invention et le style. La prétention
mythologique du « nouveau roman » était trop forte
pour qu'elle pût s'imposer en l'absence d'un style.

Mais, héritiers d'un demi-siècle de romans nouveaux, heureusement inspirés par les initiateurs et
les fondateurs de l'époque 1910-1930, Michel Butor
et Alain Robbe-Grillet (avec Robert Pinget, avec
Claude Ollier, Jean Ricardou, et d'autres...) ont
imposé et proposé, dans les « années 50 » et jusqu'à
nos jours, une forme du roman hétérodoxe au
xxe siècle : successeurs de la trilogie Proust-Joyce-
Kafka, contemporains (ou presque) de Malcolm
Lowry et de Lawrence Durrell, ils ont recréé en
France et propagé dans le monde non pas un roman
nouveau, mais un roman d'exigence; non pas une
création absolue, mais une étape bien française
— ingéniosité, snobisme, mythologie, cérébralité —
dans les métamorphoses du roman.

VITRAUX
STÉRÉOSCOPIES ET STÉRÉOPHONIES

X

DE L'ARCHITECTURE AU STYLE
L'ART DU VITRAIL

PROUST avait étudié avec Ruskin l'art des cathé-
drales, et *La Recherche du temps perdu* est une
cathédrale : d'une part un plan *architectural* très
complexe dont l'unité n'est pas immédiatement perceptible si l'on ne prend pas la perspective voulue.
D'autre part, un art minutieux d'*ornementation des
portails* et des lignes de faîte, avec une profusion
d'études de détail : des saints, des évêques, des men-
diants, des gargouilles. Le long voyage que fait Marcel dans son passé répond à la ligne de voûte d'une
nef centrale, mais dans cette construction gothique,
la voûte renvoie aux nervures, aux nefs secondaires,
aux chapelles latérales. Le « côté de Guermantes »
est, comme le « côté de chez Swann », une nef secondaire; Mme Verdurin définit une chapelle latérale; il
y en a d'autres pour Saint-Loup, pour Charlus; et
Albertine à elle seule occupe un côté du transept;
qui mettra-t-on dans le chœur et dans l'abside?
Le plan d'ensemble est très étudié, même si
Proust n'a pu y mettre la dernière main. Mais il
n'est visible que d'un certain lieu privilégié, où il
faut être mené par le guide, et encore à condition
que l'on lève alors la tête vers les arcs et les arceaux

de la voûte. Nous avons une dizaine de bons ouvrages, et fort savants, sur l'architecture de *La Recherche du temps perdu.*

Mais si l'on marche dans les galeries et les chapelles du *Temps perdu*, si l'on essaie de lire les vitraux ou de contourner la cathédrale pour retrouver les portails et leur ornementation flamboyante, on se fixera et se perdra à chaque fois dans un *détail.* Tel est le roman-cathédrale, le roman-somme, qui a été repris un certain nombre de fois depuis Proust.

On a vu jusqu'ici quelques exemples de cet art romanesque total, dans les sommes romanesques de Musil, de Durrell ou de Malcolm Lowry. Comme dans la cathédrale, l'énigme intellectuelle et mystique du plan d'ensemble ne s'y sépare pas de la fascination qu'exercent les détails peints ou sculptés, vitraux, portails, gargouilles. Les romans nouveaux au xxe siècle proposent le mythe central de leur architecture; mais ils offrent aussi l'enchantement et l'obsession des figures et des figurines qui les couvrent ou les illuminent. Ils réclament un effort pour saisir leurs proportions architecturales d'ensemble; ils exigent un autre effort pour entrer dans les visions de détail, ils demandent une autre accommodation de l'œil et de la vision.

De la distribution des voûtes, des nervures et des nefs, nous passons, dans l'étude d'une cathédrale, aux détails des vitraux, et aux plis du manteau d'un évêque. Nous échangeons des lorgnettes contre une loupe. Il faut aussi modifier sans cesse le champ de vision pour lire et explorer les romans nouveaux. Car, comme l'imaginaire cathédrale proustienne, ils jouent entre l'*ensemble* et le *détail*, entre la vision de l'aigle et celle du myope.

*
* *

Il existe, chez nos contemporains, un art du détail qui est un art du vitrail. Ne le trouvait-on pas déjà dans la célèbre évocation des vitraux de l'église de Combray? « *Ses vitraux ne chatoyaient jamais tant que les jours où le soleil se montrait peu, de sorte que, fît-il gris dehors, on était sûr qu'il ferait beau dans l'église; l'un était rempli dans toute sa grandeur par un seul personnage pareil à un Roi de jeu de cartes, qui vivait là-haut, sous un dais architectural, entre ciel et terre (et dans le reflet oblique et bleu duquel, parfois les jours de semaine, à midi, quand il n'y a pas d'office — à l'un de ces rares moments où l'église aérée, vacante, plus humaine (...), avec du soleil sur son riche mobilier, avait l'air presque habitable comme le hall, de pierre sculptée et de verre peint, d'un hôtel de style moyen âge — on voyait s'agenouiller un instant M*^me^ *Sazerat, posant sur le prie-Dieu voisin un paquet tout ficelé de petits fours qu'elle venait de prendre chez le pâtissier d'en face et qu'elle allait rapporter pour le déjeuner).* » Mais peu importent les digressions, l'évocation des vitraux se poursuit; « *Dans un autre une montagne de neige rose, au pied de laquelle se livrait un combat, semblait avoir givré à même la verrière qu'elle boursouflait de son trouble grésil comme une vitre à laquelle il serait resté des flocons, mais des flocons éclairés par quelque aurore (par la même sans doute qui empourprait le retable de l'autel de tons si frais qu'ils semblaient plutôt posés là momentanément par une lueur du dehors prête à s'évanouir que par des couleurs attachées à jamais à la pierre); et tous étaient si anciens qu'on voyait çà et là leur vieillesse argentée étinceler de la poussière des siècles et montrer brillante et usée jusqu'à la corde la trame de leur douce tapisserie de verre. »*

Puis tout devient de plus en plus minutieux, précis, insistant. « *Il y en avait un qui était un haut compartiment divisé en une centaine de petits vitraux rectangulaires où dominait le bleu, comme un grand jeu de cartes pareil à ceux qui devaient distraire le roi Charles VI; mais soit qu'un rayon eût brillé, soit que mon regard en bougeant eût promené à travers la verrière, tour à tour éteinte et rallumée, un mouvant et précieux incendie, l'instant d'après elle avait pris l'éclat changeant d'une traîne de paon, puis elle tremblait et ondulait en une pluie flamboyante et fantastique qui dégouttait du haut de la voûte sombre et rocheuse, le long des parois humides, comme si c'était dans la nef de quelque grotte irisée de sinueux stalactites que je suivais mes parents, qui portaient leur paroissien; un instant après les petits vitraux en losange avaient pris la transparence profonde, l'infrangible dureté de saphirs qui eussent été juxtaposés sur quelque immense pectoral, mais derrière lesquels on sentait, plus aimé que toutes ces richesses, un sourire momentané de soleil* [1]. »

Ce flamboiement des vitraux est un art proprement proustien. Car Proust est une sorte de maître du vitrail ou de l'émail, couvrant toute une fresque avec des émaux...

Il y avait chez lui une complaisance d'artiste et d'esthète. L'intention est différente chez ceux qui l'ont suivi, avec des techniques fort diverses, parfois à plus de trente ans de distance. L'enregistrement

---

1. Marcel PROUST : *Du côté de chez Swann*, t. I, pp. 84-85, Gallimard.

précis d'un monde extérieur muet en lui-même a longtemps hanté Sartre, puis Robbe-Grillet. Et tout le monde connaît la première page de *La Jalousie*, qui est comme un défi dans la géométrie et dans l'objectivité neutre de sa description : « *Maintenant l'ombre du pilier — le pilier qui soutient l'angle sud-ouest du toit — divise en deux parties égales l'angle correspondant de la terrasse. Cette terrasse est une large galerie couverte entourant la maison (...). Comme sa largeur est la même dans la portion médiane et dans les branches latérales, le trait d'ombre projeté par le pilier arrive exactement au coin de la maison; mais il s'arrête là car seules les dalles de la terrasse sont atteintes par le soleil (...). Les murs, en bois, de la maison — c'est-à-dire la façade et le pignon ouest — sont encore protégés de ses rayons par le toit (toit commun à la maison proprement dite et à la terrasse). Ainsi, à cet instant, l'ombre de l'extrême bord du toit coïncide exactement avec la ligne, en angle droit, que forment entre elles la terrasse et les deux faces verticales du coin de la maison* [1]. »

Il est nécessaire de faire un dessin pour suivre le texte, et encore un dessin très complexe, un dessin d'architecte. On se croirait dans un monde déshumanisé, et c'est bien le reproche que l'on fit long-temps à Robbe-Grillet. Pourtant, l'idée d'une intrigue se glisse dans quelques mots de cette description massive : « *à cet instant* ». Et c'est bien un fait *humain* qui apparaît au paragraphe suivant : des gestes humains, une action humaine : « *Maintenant, A... est entrée dans la chambre (...). Elle ne regarde pas par la fenêtre...* »

---

1. Alain ROBBE-GRILLET : *La Jalousie*, pp. 9-10, Éd. de Minuit, 1957.

Mais avouons que la fascination de la description, la passion du détail, l'envoûtement des choses, des aîtres, des lieux, des objets, ils existaient déjà, bien avant « *l'école du regard* », dans telle description minutieuse d'un immeuble parisien : « *Une fois la porte franchie, l'on trouvait un bout de couloir. Une boîte à ordures de médiocres dimensions, fermée par son couvercle, et, en somme, correcte d'aspect, était rangée contre le mur, qui avait été peint à une époque assez récente, et dont les nuances allaient maintenant, non sans un peu de crasse et d'éraflures, du gris fumé au gris moutarde. L'escalier prenait à gauche. Il était sombre, et tournait court. Les marches de bois menaient à des paliers carrelés de carreaux rouges. Juste avant le premier étage, une lucarne s'ouvrait (...). Elle donnait sur la loge de la concierge, dont elle formait sans doute la principale communication avec l'air extérieur. L'accès de la loge était plus haut, sur le palier même : une porte vitrée, surmontée d'une inscription. Mais cette porte vitrée, à cause des rideaux épais dont elle était munie, ou de la disposition des lieux, qui devaient s'établir en contrebas, ne laissait filtrer qu'une lueur négligeable; tandis que la lucarne projetait dans la cage de l'escalier une tranche de lumière bien dorée. A partir du premier étage, une certaine clarté tombait des régions supérieures (...).*

« *Il régnait dans cet escalier une odeur close, poudreuse, musquée, mais non sordide. L'humidité ne s'ajoutait pas à la vieillesse des choses. L'usure, les fins débris se tenaient tranquillement dans leurs recoins (...); ils n'y fermentaient pas. L'on discernait même quelques traces d'un parfum d'encaustique. Les carreaux des paliers semblaient être lavés assez régulièrement; les marches, balayées chaque jour; cirées peut-*

être une ou deux fois par mois; la rampe, essuyée de temps en temps au chiffon de laine.

« *Dans cet état habituel, la maison était silencieuse. Quand des pas résonnaient dans le couloir, il ne tardait guère à se faire un changement dans le faisceau de lumière qui venait de la lucarne. Une tête se montrait, un peu en arrière, éclairée à contre-jour (celle d'une femme, le plus souvent) (...).*

« *Il y avait trois portes par étage ce qui pouvait surprendre, vu l'étroitesse de la façade.* »

Ainsi, lorsque Jules Romains publiait en 1936 *Recours à l'abîme* (pp. 6-7, Flammarion), il aurait déjà pu prétendre être le précurseur du nouveau roman...

L'enregistrement précis des « choses », une sorte de concurrence faite par l'écrivain à la minutieuse présence objective du réel, c'est par là que vers 1954 on avait cru pouvoir caractériser ce qui semblait en France un art nouveau, et que l'on rattachait à un « antiroman », à une vision « objectale »... Sur ce thème, bien des textes ont été écrits, bien des reproches ont été faits au romancier qui, refusant au premier abord une intrigue psychologique trop fabriquée et trop aisée, veut tenir compte en premier lieu de l'ensorcellement et de l'envoûtement des choses... La critique n'a pas été tendre envers cette tendance du roman, dont Robbe-Grillet a parfois usé avec une sorte de défi appliqué. Ce genre de roman, dit la critique, « *représente l'obstination de la description. Ce roman est un de ceux qui rappellent le dessin linéaire, tant il est fait au compas, avec minutie : calculé, travaillé, tout à angles droits et, en définitive, sec et aride (...). Les détails sont comptés un à un, avec la même valeur : chaque rue, chaque maison,*

*chaque chambre, chaque ruisseau, chaque brin d'herbe
est décrit en entier; chaque personnage, en arrivant en
scène, parle préalablement sur une foule de sujets inutiles et peu intéressants, servant seulement à faire
connaître son degré d'intelligence. Par suite de ce système de description obstinée, le roman se passe presque
toujours par gestes; pas une main, pas un pied ne
bouge, pas un muscle du visage, qu'il n'y ait deux ou
trois lignes ou même plus pour le décrire. Il n'y a ni
émotion ni sentiment, ni vie dans ce roman, mais une
grande force d'arithmétique (...). Ce livre est une application littéraire du calcul des probabilités* [1] ».

Malheureusement, ce texte n'est pas l'attaque d'un
critique de 1960 contre un livre de Claude Ollier,
d'Alain Robbe-Grillet ou de Jean Ricardou... Il fut
publié en 1857 par la revue *Réalisme*, à propos de
Madame Bovary, de Gustave Flaubert!

*   *
*

Ce n'est donc point la « présence objectale » des
choses qui définit un certain style nouveau. C'est la
volonté de modifier, *dans le détail*, dans l'écriture et
dans la structure de la phrase, le niveau de conscience
où se situe la phrase écrite.

Dans la première phrase d'*Eugénie Grandet*, Balzac
écrivait : « *Il se trouve dans certaines villes de province
des maisons dont la vue inspire une mélancolie égale
à celle que provoquent les cloîtres les plus sombres...* »
Entre Balzac et son lecteur, les rapports restaient
courtoisement ceux d'un conteur et de son auditeur,
d'un conférencier et de son spectateur. Mais, dans

---

1. Cité par H. MARTINO : *Le Roman réaliste sous le Second Empire*, p. 93,
Hachette, 1913.

la première page de *Dans le labyrinthe*, de Robbe-
Grillet, nous lisons, abruptement : « *Je suis seul ici
maintenant, bien à l'abri. Dehors il pleut, dehors, on
marche sous la pluie en courbant la tête (...). Ici le
soleil n'entre pas, ni le vent, ni la pluie, ni la poussière.* » Et nous pouvons être irrités de ne savoir
— comme nous le savions chez Balzac — ni *qui* parle,
ni *où*, ni *de quoi?* D'ailleurs, nous ne le saurons
jamais, même en lisant tout le livre...

Et, éventuellement, ce procédé qui consiste à jeter
le lecteur dans les pensées confuses d'un personnage
indéfinissable, ce procédé peut aboutir à un style où
la syntaxe, les explications, et même une bonne partie des points et des virgules ont disparu. Comme
par exemple, dans la première page de *La Route des
Flandres*, de Claude Simon : « *Il tenait une lettre à
la main, il leva les yeux, me regarda puis de nouveau
la lettre puis de nouveau moi, derrière lui je pouvais
voir aller et venir passer les taches rouges acajou ocre
des chevaux qu'on menait à l'abreuvoir...* » Qui parle
ici? et de quoi? dans quel pays? Il faudra bien lire
cinquante pages pour *deviner* (sans qu'aucune *explication* soit donnée) qu'il s'agit sans doute d'un soldat
français, prisonnier en 1940, devant une baraque de
Stalag provisoire...

Voilà donc un autre jeu : au lieu d'introduire
(comme Balzac) le lecteur dans une histoire qu'on
lui explique au fur et à mesure, on l'invite à suivre,
sans comprendre, les pensées confuses d'un personnage qu'il ne connaît pas, qui ne lui a pas été présenté. C'est l'art du monologue intérieur, qui consiste
à offrir au lecteur, à l'état apparemment brut, les
sensations, les vibrations, la conscience ou la sous-
conscience des personnages romanesques. Le roman

devient alors une transcription de l'*informulé*, alors
que l'art littéraire consistait autrefois à *formuler*. Et
c'est une expérience curieuse que de suivre les
méandres et les balbutiements de la demi-conscience,
comme tente de le faire le roman contemporain.

XI

JAMES JOYCE ET LA NAISSANCE
DU MONOLOGUE INTÉRIEUR

Il y a eu un moment où le romancier a renoncé au postulat traditionnel du récit : décrire et présenter un « personnage » qu'il s'efforce de rendre intelligible et intéressant, comme le faisait par exemple Stendhal parrainant, présentant et commentant Julien Sorel. Dans le courant du xxe siècle, le besoin est apparu de donner la parole directement au personnage, en livrant sa voix intérieure et son flux intérieur, sans intervenir, sans expliquer, sans analyser. Le romancier se tait, le personnage parle. Et le roman prend le style intérieur du personnage, au lieu de conserver le style personnel — et paternaliste — du romancier. C'est une sorte de « décolonisation » du roman.

Le procédé n'est pas nouveau, et l'on y parvint par des gradations insensibles. Déjà, très couramment, le romancier ou le conteur faisaient parler à voix haute ses personnages : « *Adolphe, vous voyez que je ne puis vivre sans vous* », disait Ellénore chez Benjamin Constant. A l'époque de Stendhal, il arrive que l'on nous donne des réflexions intérieures que le héros se fait sous forme de discours à lui-même, comme Fabrice del Dongo dans un moment de méditation et d'exaltation intérieure : « *Le bonheur le porta à une hauteur de pensées assez étrange (...). Il faut en convenir, depuis mon arrivée à Parme, SE DIT-IL enfin, (...) je n'ai point eu de joie tranquille et parfaite, comme celles que je trouvais à Naples (...). Halte-là, SE DIT-IL tout à coup, j'ai pour ennemi Giletti... Voilà qui est singulier, SE DIT-IL, le plaisir que j'éprouverais à voir cet homme si laid aller à tous les diables... »*

Ce monologue de Fabrice dans *La Chartreuse de Parme* est à l'origine tout monologue intérieur. Ponctué d'expressions comme « *se dit-il* », il est placé entre parenthèses dans le roman : c'est un moment où Stendhal donne la parole à Fabrice, non pour qu'il parle devant les autres, mais pour qu'il se parle à lui-même. Ce passage constitue une exception dans le livre. Mais on pourrait aussi bien imaginer que, brusquement, Stendhal décide de *laisser la parole à Fabrice*, et supprime le « *se dit-il* ». Dans ce cas, le texte donnera, même avec des coupures : « *Depuis mon arrivée à Parme; je n'ai point eu de joie tranquille et parfaite comme celles que je trouvais à Naples (...). Halte-là, j'ai pour ennemi Giletti. Voilà qui est singulier, le plaisir que j'éprouverais à voir cet homme si laid aller à tous les diables... »* Et l'on peut imaginer toute *La Chartreuse de Parme* écrite dans ce style, et avec ce postulat : les réflexions intérieures de Fabrice. C'est aussi bien, avec quelque noblesse en moins, le style de tel « nouveau roman » de Robert Pinget en 1965 : « *Il fallait que je trouve autre chose. Une autre technique. Une autre disposition d'esprit. Jusqu'à maintenant, quand je cherchais quelque chose, c'était avec fébrilité (...). Il fallait me changer, moi, opérer une grande révolution (...).*

Est-ce que c'est normal de chercher tout le temps quelque chose [1] ? » Malgré la différence de ton, la parenté est visible : le personnage se parle à lui-même, s'admoneste lui-même. Sous sa forme de discours à soi-même, de *délibération intérieure*, le « monologue intérieur » — depuis les stances du *Cid*, d'ailleurs — était un procédé littéraire fort admis, sinon très courant.

Un décrochement se produira lorsque ce monologue, au lieu de traduire des pensées, traduit des impressions, ou plutôt des réactions confuses. C'est le cas de cette fille, dans un roman de Zola, dont les réactions intimes sont transcrites telles qu'elle les éprouve : « *Voilà qu'elle raccrochait la Gueule-d'Or, maintenant! Mais qu'avait-elle donc fait au bon Dieu pour être ainsi torturée jusqu'à la fin? C'était le dernier coup, se jeter dans les jambes du forgeron, être vue par lui au rang des roulures de barrière, blême et suppliante. Et ça se passait sous un bec de gaz, elle apercevait son ombre difforme qui avait l'air de rigoler sur la neige (...). Mon Dieu! ne pas avoir une lichette de pain* [2] !... »

Voilà qui est plus appuyé, plus intime, plus intérieur. Le monologue n'exprime plus des pensées, mais des impulsions. Le style y reste traditionnel parce que le personnage est toujours nommé « elle », parce que Zola emploie le style indirect. Si l'on remplaçait « elle » par « je », si l'on donnait au style les ruptures et les cassures de la pensée confuse d'une clocharde, on obtiendrait le plus caractéris-

---

1. Robert PINGET : *Quelqu'un*, p. 91, Éd. de Minuit, 1965.
2. Cité par Jacques DUBOIS, dans *Un nouveau roman?*, p. 28, Éd. Lettres modernes, 1964; cf. ZOLA : *L'Assommoir, Les Rougon-Macquart*, t. II, p. 774, Gallimard, 1961.

tique échantillon de « nouveau roman » : « *Ai rac-
croché Gueule-d'Or, maintenant! Bon Dieu, torturée
toujours! Le dernier coup, le der des der : me jeter
dans les jambes du forgeron. Il m'a vue. Une roulure
des barrières. Pâle, avec des larmes. Et ça se passait
sous un bec de gaz; j'avais une ombre toute drôle...* »
N'obtient-on pas ici, en adaptant légèrement un
passage de Zola, un texte qui pourrait être de
Faulkner ou de Samuel Beckett?

*
* *

Mais tout est dans l'intention et dans l'allure
générale. On pouvait comparer ci-dessus certains
passages un peu exceptionnels du roman classique
avec le style des romans nouveaux. Le roman nouveau rend systématique ce qui, au xixe siècle, n'était
que procédé accidentel. En particulier, il s'applique
à rendre des *sensations* plutôt que des pensées, à
les faire sentir dans le personnage plutôt qu'à les
faire commenter par l'auteur. On entrera alors dans
le complexe univers de la sensation subjective. Et,
surtout, dans un roman où l'ordre des idées, des
sentiments, des sensations n'est plus réglé par l'auteur. Le plus classique exemple est celui d'Édouard
Dujardin, que, avec son roman *Les Lauriers sont
coupés* (1887), on tient pour l'inventeur occasionnel
du monologue intérieur. En effet, ce fade romancier
de l'époque symboliste donne la parole à son personnage et lui fait traduire ses sensations. Sans se
rendre compte de l'originalité posthume de sa trouvaille, il livre, sous le mode du « je », les frissons
les plus rudimentaires de son grotesque héros, Daniel
Prince, un frileux impuissant, retiré dans sa chambre :

« *J'ai peur de cette grande nuit muette; le dedans est* *doux, tiède, moite, chaud, avec les tapis, les étoffes,* *les murs bien clos, le confort des choses molles (...).* *Les bougies sont allumées sur la cheminée; voici le* *lit blanc, moelleux, les tapis; je m'appuie sur la croi-* *sée ouverte; dehors, derrière moi, je sens la nuit; la* *nuit froide, triste, lugubre (...). J'ai un frisson;* *précipitamment, je me retourne, je saisis les croisées,* *je les repousse, précipitamment* [1]. »

Un déluge d'adjectifs sensitifs, et une certaine complaisance à dire « je ». La réputation de Dujardin est bien usurpée, car ce n'est pas là monologue intérieur, c'est simplement intrusion dans le roman du journal intime et frileux d'un grand sensible.

*   *
*   *

Le procédé d'envoûtement que comporte le monologue intérieur est déjà employé par Kafka (mort en 1924), par exemple dans un texte comme *Le Terrier* : « *J'ai organisé mon terrier et il m'a l'air* *bien réussi. De dehors, on voit un grand trou, mais* *qui ne mène nulle part; au bout de quelques pas, on* *se heurte au rocher. Je ne veux pas me vanter d'avoir* *eu là une ruse intentionnelle : ce trou n'est que le* *résultat de l'une des nombreuses tentatives que j'avais* *faites vainement, mais il m'a semblé avantageux de* *ne pas le recouvrir. Évidemment, il est des ruses si* *subtiles qu'elles se contrecarrent elles-mêmes, je le* *sais mieux que personne* [2]... » Le lecteur est jeté dans l'univers unique et obsessif d'un personnage,

1. Édouard DUJARDIN : *Les Lauriers sont coupés*, p. 55, Messein, 1924.
2. Franz KAFKA : *Le Terrier*, in *La Colonie pénitentiaire et autres récits*, p. 113, Gallimard.

d'un être qui parle, ou plutôt *d'un être qui se parle*.
Il en sera de même trente ans plus tard dans *Molloy*
de Samuel Beckett : « *Je suis dans la chambre de
ma mère. C'est moi qui y vis maintenant. Je ne sais
pas comment j'y suis arrivé. Dans une ambulance
peut-être, un véhicule quelconque certainement. On m'a
aidé. Seul je ne serais pas arrivé* [1]. »

Dans ces deux textes, *on entend quelqu'un se
parler*, sans savoir de qui il s'agit, sans que cette
voix qui parle nous ait été « présentée ». On ne sait
qui est Molloy : on devra le deviner en lisant son
propre monologue. On ne sait qui prend la parole
dans *Le Terrier* : on comprendra peu à peu qu'il
ne s'agit même pas d'un être humain, mais *d'une
taupe :* monologue intérieur d'une taupe...

Ce n'était pas la première fois que le roman — ou
plutôt le *Märchen* — était dit et récité non pas par
le romancier, non pas par un homme qui raconte
sa vie dans un « journal » ou dans des « mémoires »,
mais par un narrateur qui est en même temps un
personnage, et qui au lieu de narrer l'histoire au
passé la vit *au présent*, et la vit spontanément, dans
sa tête, sans l'écrire. Déjà dans *Le Chat Murr*,
Hoffmann faisait écrire son livre par un chat...

Mais, chez Hoffmann lui-même, le procédé n'allait
pas très loin : c'est le journal intime, ce sont les
notes quotidiennes d'un chat, qui nous sont présen-
tées avec ironie. On reste là dans le domaine du
« journal intime », qui est certes *vécu directement*,
vécu au présent (ou presque), mais qui se donne pour
un *texte écrit*, pour des « mémoires ».

Un pas est franchi lorsque le texte ne se propose

---

1. Samuel BECKETT : *Molloy*, p. 7, Éd. de Minuit, 1951.

plus comme une relation écrite, mais comme l'expression de pensées, d'impulsions, de réactions et de sensations *que personne ne rédige*. Là apparaît vraiment le « monologue intérieur » : un être qui se parle à lui-même et cesse de parler pour les autres. C'est le cas de la taupe de Kafka, qui raisonne, ratiocine, mais qui le fait à son intention personnelle, sans s'adresser à un auditeur : « Mais le plus beau, dans ce terrier, c'est son silence. Évidemment, il est trompeur. Il peut se trouver soudain rompu et alors ce sera la fin de tout. Mais en attendant, j'en jouis... » Ces renseignements ne sont nécessaires *à personne*, ils ne sont intéressants pour personne, ils constituent une sorte de ronron intérieur et d'examen de conscience de la taupe. De même chez Samuel Beckett, le héros larvaire qui parle dans *Molloy*, épave humaine, ne peut imaginer qu'il parle pour les autres; c'est pour lui-même qu'il évoque ses malheurs, sa solitude, son état d'âme : « Oui, je travaille maintenant, un peu comme autrefois, seulement je ne sais plus travailler. Cela n'a pas d'importance, paraît-il. Moi je voudrais maintenant parler des choses qui me restent, faire mes adieux, finir de mourir. Ils ne veulent pas... »

De Kafka à Beckett, c'est bien le monologue d'un être qui *se* parle. Par exemple, dans *Molloy*, tout le texte pourrait être le radotage d'un clochard assis sur un banc, discourant pour des auditeurs éventuels qui ne l'écoutent pas, parlant tout seul : le monologue de l'ivrogne. Il y a bien là une révolution du style romanesque, puisque le roman cesse d'être écrit *pour* un lecteur...

Car le roman-confession du xixe siècle, le roman à la première personne, comme *Dominique* d'Eugène

Fromentin, restait un texte *écrit* et trouvé dans les papiers du héros après sa mort, ou bien un récit où le héros s'exprimait et se racontait devant un auditeur bénévole. Mais alors que Dominique organisait son récit pour le rendre agréable à son confident, dans le roman du monologue intérieur tout s'organise seulement en fonction des obsessions du personnage qui parle. Le texte reste bien une confession et une confidence, mais elles ne sont adressées à personne; elles sont éventuellement peu compréhensibles pour le lecteur. Le trait principal de ce style romanesque est de *supprimer le lecteur :* ce personnage invisible qui commandait tout le récit, puisque le récit était écrit *dans l'intention de lui être intelligible.* Or certains romans vont renoncer à cette intelligibilité immédiate; ils vont cesser d'être construits pour la commodité du lecteur. Ils n'expriment plus que la structure mentale, les rêves, les sensations, les délires de celui qui parle. En ce sens, ils sont difficiles à lire : ils ressemblent à des *documents,* difficiles à *déchiffrer.* On pourrait parfois les comparer aux textes qu'un fou écrit pour lui, dans l'asile où il est reclus; il ne cherche pas à s'expliquer aux autres avec une intention de clarté, mais à se ressasser lui-même dans une manie obsessive. On conçoit alors que le lecteur doive les aborder dans un esprit différent : comme une énigme subjective où il doit faire un effort objectif pour pénétrer. Le lecteur devient alors un détective et une sorte de psychiatre devant un texte de délire mental, et c'est dès 1950 que le meilleur critique espagnol, José M. Castellet, constatait « *le divorce qui existe entre l'écrivain intelligent, lucide et honnête (...) et le lecteur de bonne volonté à qui ne suffisent pas ses bonnes dispositions pour qu'il accepte sans révolte des livres qu'il ne comprend pas* [1]... ».

Ce roman-énigme, ce roman à déchiffrer, peut rebuter au premier abord. Pourtant, on le recherche parfois, sous forme plus vulgaire, dans le roman policier... Nous avons pu nous irriter devant *Molloy*, où l'on ne sait qui parle, ni de quoi, où il faut suivre simplement le monologue lyrique et misérabiliste d'une sorte de clochard illuminé; et pourtant, parce que Rimbaud est un poète, parce que Rimbaud figure dans les anthologies scolaires, nous avions accepté depuis longtemps de lire ou de feuilleter *les Illuminations*, dont le « sujet » est le même. Il suffirait d'admettre que le romancier Beckett peut nous imposer les mêmes exigences que le poète Rimbaud. C'est là où le bât peut blesser certains lecteurs, par un malentendu sur le terme de « roman », car le lecteur est alors désorienté par un autre procédé romanesque : au lieu d'étudier *de haut* les personnages, il est invité à écouter l'un d'eux, à s'identifier avec lui, ou plus exactement avec le langage intérieur de ce personnage, un langage qui peut être confus et incohérent. Les images et les faits ne seront plus présentés suivant une logique commune à l'auteur et au lecteur, c'est-à-dire suivant le schéma d'une « histoire » bien contée. Au contraire, sensations et idées se succéderont et se mêleront comme elles le font dans la conscience et dans la parole d'un individu (qui ne passe pas son temps à réordonner chronologiquement l'histoire de sa vie). Et en ce sens Proust amorçait déjà lui aussi le monologue intérieur bien qu'il ne l'employât pas nom-

1. José Maria CASTELLET : *La Hora del lector*, p. 78, Seix y Barral, Barcelone.

mément : « *Quelques-uns voudraient que le roman fût
une sorte de défilé cinématographique des choses. Cette
conception était absurde. Rien ne s'éloigne plus de ce
que nous avons perçu qu'une telle vue cinématographique* [1]. »

*
* *

L'explosion du style narratif en une multitude de
formes du monologue intérieur avait eu lieu avec
Joyce. Il publie *Dubliners (Gens de Dublin)* en 1914,
deux ans après que Kafka a publié *La Métamorphose.* Son *Ulysse* paraît dans le texte anglais à Paris
en 1922. Il ne sera traduit en français qu'en 1929;
Portrait de l'artiste a été traduit en 1924, et *Gens de
Dublin* en 1926. Toutefois, Joyce ne semble pas avoir
eu une influence immédiate en France, où dominent
des esthétismes comme ceux de Cocteau et de Giraudoux, où va se développer avec Mauriac, Bernanos,
Malraux, Julien Green, le roman métaphysique et
tragique de la condition humaine.

Ulysse a été imprimé sans l'autorisation de l'auteur en 1926 aux États-Unis. *Le Bruit et la fureur*
de Faulkner est de 1929. En Angleterre, où les textes
de Joyce ne peuvent entrer que clandestinement,
Virginia Woolf publie dès 1922 *Jacob's Room*, mais
il faut attendre 1925 pour que paraisse *Mrs Dalloway*,
plus caractéristique. Kafka commence à être traduit
en France seulement en 1928 avec *La Métamorphose*
et en 1933 avec *Le Procès.*

Le rapprochement de ces dates montre qu'il n'y
a pu avoir connivence dans la plupart des cas, et

1. Marcel PROUST : *Le Temps retrouvé*, t. II, p. 27, Gallimard.

que la dislocation du style romanesque en fragments de monologue intérieur n'est pas le fait d'un inventeur génial dont l'invention aurait été utilisée par des disciples. Le phénomène qui se produit n'en est que plus significatif en histoire littéraire : la convergence d'écrivains qui ne se connaissent à peu près pas; la quasi-simultanéité de leurs réactions et de leurs inventions. Ainsi, loin d'être une mode littéraire habilement utilisée, l'emploi du monologue intérieur apparaît bien comme une idée qui était « dans l'air », et même comme une exigence qui, entre 1922 et 1935, s'impose en même temps à nombre d'écrivains qui ne s'étaient pas concertés.

Dans une Histoire du style romanesque composée de brèves séquences, on ne saurait décrire ni évoquer toutes les formes joyciennes du monologue intérieur. Joyce est un monde, mi-irlandais, mi-fou et mi-génial (car il vaut bien trois demis d'écrivain). On ne peut lire l'œuvre de Joyce que comme une *Divine Comédie*, un grimoire ou un bréviaire. Son dernier texte, *Finnegans Wake* (entrepris en 1922) est un festival d'outrances sémantiques et syntaxiques, et l'on sait que la moitié des mots y sont inventés, forgés ou refondus par l'auteur. Mais cette énorme liberté rabelaisienne que Joyce prit à l'égard du langage peu après 1920 sert de caution aujourd'hui, après 1960, à toutes les audaces et à toutes les tentatives : lente influence d'une action explosive où Joyce se jouait des mots.

Si lente que fût cette influence, elle proposait dès 1922 aux premiers lecteurs de Joyce des textes romanesques incongrus. Alors que Kafka utilisait le « monologue intérieur obsessif » ou le « récit neutre »,

Joyce les confondait et les mêlait. Si, pour chacun
des dix-huit chapitres d'*Ulysse*, il emploie volontairement et systématiquement un style différent, l'impression d'ensemble, entièrement nouvelle et éton-
nante dans son époque, était provoquée par un
mélange du récit objectif et du monologue intérieur.
Pêle-mêle, sans transitions, on suit un personnage
qui marche dans la rue (Leopold Bloom, le personnage central d'Ulysse), et l'on reçoit brusquement,
comme une décharge électrique, les membres de
phrase qui représentent sa pensée intime transcrite
en langage intérieur : « *D'un pas mesuré, M. Bloom
longea les camions du quai de sir John Rogerson,
Windmill Lane, Leask le broyeur de lin, le bureau
des Postes et Télégraphes.* Aurais pu donner aussi
cette adresse. Et l'Abri du Marin. *Il s'éloigna du
vacarme matinal des quais pour prendre Lime Street.
Près des cottages Brady un apprenti de tannerie traî-
nassait, son seau d'abats au bras, fumant un mégot
tout mâchonné. Une gamine plus petite avec des
marques d'eczéma sur le front l'examinait en tenant
distraitement un cercle de barrique déformé.* Lui dire
que s'il fume il ne grandira pas. O laissons-le faire!
Sa vie n'est pas un tel lit de roses! Il attend à la
porte des bistrots pour ramener papa à la maison.
Reviens chez M'man, P'pa. Heure morte; il n'y aura
pas grand monde. *Il traversa Townsend Street, passa
devant la façade rébarbative de Bethel* [1]. »

Deux styles se mêlent dans un texte de cette
nature : le style où M. Bloom est un « il », un homme
dont on dit qu' « *il* marche », qu' « *il* traverse Townsend Street »; puis le style fulgurant des pensées

1. James Joyce : *Ulysse*, p. 69, Gallimard.

intimes de M. Bloom. « *Aurais pu donner aussi cette adresse* », « *Lui dire que s'il fume il ne grandira pas* ». Joyce joue sur deux plans, projetant sur l'écran un homme vu de l'extérieur, mais nous faisant entendre parfois sa voix venue de l'intérieur. C'est un effet de voix « *off* » : *l'image* nous montre objectivement un homme qui marche dans la rue; le *son* nous livre les réflexions intimes de cet homme. Ce procédé sera utilisé dans le cinéma parlant après 1945. En 1922, le cinéma parlant n'était pas encore né. James Joyce l'avait préimaginé pour son usage personnel...

Cette stéréophonie littéraire est fréquente, sinon constante, dans *Ulysse*. Ainsi Joyce traduit de la même manière, c'est-à-dire sur un double ou triple registre, les effrois du jeune Stephen, se promenant sur une grève, qui voit venir vers lui deux baigneuses qui l'intriguent, et, en même temps, un chien méchant qui lui fait peur : « *Un point vivant grossit, galope à travers l'arène sablonneuse, un chien.* Bon Dieu, va-t-il venir me mordre? Respectons sa liberté. Tu ne seras pas le maître des autres ni leur esclave. J'ai ma canne. Ne bougeons plus. *Dans l'éloignement, remontant du flot coiffé d'écume vers la terre ferme, des silhouettes, deux.* Les deux saintes femmes. Elles ont dissimulé la chose dans les roseaux. Coucou, je vous vois! Non, le chien. *Il court les rejoindre.* Qui?

« Ici les galères des Lochlanns couraient à terre en quête de proie, les becs rouges de leurs proues rasant un ressac d'étain fondu. Vikings danois aux cols étincelants de torques de francisques au temps où Malachie portait le collier d'or (...).

« *L'aboi du chien se rapprochait, s'arrêtait, s'éloignait.* Chien de mon ennemi. Je n'ai fait que rester

debout, pâle, silencieux, aux abois. *Terribilia medi-
tans* [1]. »

Tout est mêlé dans ce texte. Il contient des faits
objectifs : l'apparition d'un chien menaçant, celle
de deux baigneuses. Il exprime aussi les réactions
personnelles et intérieures d'un timide, car Stephen
a peur devant le chien : « *Bon Dieu, va-t-il venir me
mordre?* » Puis, au troisième niveau, apparaissent
des réflexions humoristiques : devant le chien, Stephen se raisonne avec ironie, et cite la Bible : « *Respectons sa liberté. Tu ne seras pas le maître des autres
ni leur esclave.* » Devant les baigneuses, il plaisante
piteusement : « *Deux silhouettes, deux. Les deux saintes
femmes (...). Coucou, je vous vois.* » Et il y aurait
encore un quatrième niveau qui est celui du rêve :
sur cette plage où il se sent plutôt intimidé, Stephen
évoque les souvenirs d'un cours d'histoire : « *Ici, les
galères des Lochlanns couraient à terre en quête de
leurs proies, les becs rouges de leurs proues rasant un
ressac d'étain fondu. Vikings danois...* »

Le texte de Joyce est comme une polyphonie du
monologue intérieur. Il faudrait le lire comme on lit
et écoute un disque avec trois ou quatre aiguilles
stéréophoniques en 1966. C'est un art si subtil et si
exigeant — dès 1922 — qu'il n'a pas été dépassé,
mais seulement imité et monnayé dans le « nouveau
roman » français à partir de 1953.

*
* *

Dans le roman nouveau, l'œil ou l'oreille du lecteur-
auditeur (car il s'agit souvent d'un roman « vocal »)

---

1. James JOYCE : *Ulysse*, p. 47.

ne sait où se placer pour voir ou pour entendre.
Au lieu de se trouver, comme chez Balzac, dans un
observatoire privilégié, d'où une sorte d'Asmodée-
Vidocq, chef de la police, voit et entend ce qui se
passe dans toutes les chambres, dans toutes les pièces,
dans toutes les rues et l'organise en un récit circonstancié, on est jeté, comme en rêve, dans une
situation et dans une substitution inattendues. En
ouvrant *Le Bruit et la fureur* de Faulkner, ou *Molloy*
de Beckett, il faut *devenir* soi-même un idiot hébété
et malheureux. Il n'est pas question d'étudier et
d'observer cet idiot en le voyant de l'extérieur; il
faut se transformer en lui, épouser ses pensées rudimentaires...

En lisant *La Jalousie*, de Robbe-Grillet, je vois
une femme qui est *ma* femme, je vois aussi celui que
je soupçonne d'être son amant, et je revois toutes
les scènes qui nourrissent mes soupçons; ma personnalité de lecteur disparaît, je m'identifie à ce «jaloux»
qui épie. Il n'y a plus aucune distance entre moi et
le cauchemar de *La Jalousie;* j'oublie ma vie personnelle, et je deviens un planteur, établi dans un
pays équatorial, schizophrène et tourmenté, qui a
peur des mille-pattes et d'une infidélité possible de
son épouse. J'ai devant moi les bananeraies, des
Noirs, des jeeps, des engins agricoles et cet homme
qui vient trop souvent *nous* rendre visite. Je suis
obsédé, je suis sûr que ma femme et lui se rencontrent à mon insu...

Si je me dis, pendant un instant, que tout cela
est faux, que je n'ai jamais planté de bananes en
Afrique, que ma femme (la vraie) ne va jamais en
Jeep jusqu'à la ville voisine avec un ami du ménage
(car en réalité je *suis* à Paris, en Italie, en Suisse),

alors le roman de Robbe-Grillet s'évapore lentement comme un rêve, et je me retrouve à Paris, à Florence ou à Fribourg, installé dans ma vie à moi...

On reconnaît cette impression : celle que l'on éprouve dans la frange de demi-sommeil où l'on s'éveille d'un mauvais rêve. C'est le moment où en sortant du songe dans un réveil nocturne, on tâte par l'esprit les murs de sa chambre, où l'on se retrouve soi-même, où l'on s'aperçoit que l'on *n'est pas* le personnage que l'on croyait être en rêve, et où l'on est satisfait de rentrer dans sa peau, de retrouver autour de soi des objets familiers et des situations moins tragiques.

Entre la lecture d'un roman comme *La Jalousie* et le retour à la vie quotidienne qui s'opère lorsque l'on ferme le livre, le rapport est le même qu'entre le songe et la vie diurne et normale. Autrement dit, le roman du monologue intérieur agit comme un *hypnotisme*.

Le romancier n'y est plus un homme disert, chargé, comme Stendhal ou Balzac, de nous raconter une histoire qui nous passionne *de l'extérieur.* Il est un hypnotiseur qui place devant notre regard une boule de cristal où dansent des images, et qui nous murmure doucement : « Tu n'es pas R. M. Albérès, docteur ès lettres... Tu es... quelqu'un... planteur de bananes au Dahomey... Voici les bananes, la plantation, les Noirs... Les vois-tu? » Et nous les voyons. « Ta femme, poursuit le romancier-hypnotiseur, ta femme est partie faire une promenade avec votre voisin dans la brousse... Il est tard, très tard. Ils ne sont pas encore rentrés... Tu es inquiet... Tu es jaloux... » Et, si nous sommes bons lecteurs, nous nous mettons à ressentir tous les symptômes émotifs de la jalousie, nous remâchons, nous ressassons, nous nous torturons, nous ressentons les émotions du personnage imaginaire que l'hypnotiseur-romancier a substitué à notre véritable personnalité : nous sommes semblables à ces spectateurs que, dans une séance publique d'hypnotisme, le magicien-hypnotiseur fait monter sur la scène, magnétise, et, après leur avoir suggéré qu'ils se trouvent en plein Sahara, les amène à transpirer, à se déshabiller... D'ailleurs, cette volonté de conviction ne se trouve-t-elle pas, syntaxiquement et nettement, dans les célèbres premières pages de *La Modification*? Le personnage que Butor y introduit, Léon Delmont, n'est pas présenté de l'extérieur, à la troisième personne (« il »), ni même fictivement de l'intérieur, à la première personne (« je »). Par l'emploi d'une seconde personne à l'impératif, nous sommes sommés de nous identifier à lui : « *VOUS avez mis le pied gauche sur la rainure de cuivre, et de votre épaule VOUS essayez en vain de pousser un peu plus le panneau coulissant. VOUS vous introduisez par l'étroite ouverture* [1]... »

Cet effet d'hypnotisme existe dans tout roman de monologue intérieur. Et ainsi s'expliquent les réactions bien différentes des amateurs de littérature devant ce procédé, car il est des hommes faciles à hypnotiser, et des hommes réfractaires à l'hypnotisme. Dans ce style littéraire se trouve entièrement modifiée la relation entre le « personnage » et le lecteur. On s'efforce de supprimer le plus possible le « recul » que prenait le lecteur par rapport au héros dans le roman traditionnel.

---

1. Michel BUTOR : *La Modification*, p. 9, Éd. de Minuit.

A l'entrée du roman, nous voici conduits, les yeux bandés, dans une chambre noire, qui est la chambre aux illusions. Nous n'y assisterons pas à un spectacle dans un fauteuil. Car nous sommes debout dans le noir. Et voici que nous entendons des voix, nous voyons des silhouettes, dans des séquences de plus en plus insistantes, de plus en plus obsédantes. Cette voix qui parle, je la prends pour la mienne, cette image d'un homme qui erre, c'est peut-être moi... Dépersonnalisé, le lecteur, au lieu de regarder en immuable spectateur une action qui se déroule devant lui, tâtonne dans une comédie d'ombres dont il fait lui-même partie — s'il se laisse faire, s'il accepte cette forme d'art qui lui demande de se soumettre à une hypnose...

*
* *

Cependant, la voix intérieure, formulée ou informe, va entrer peu à peu dans le roman, et lui imposer son style. A la limite, et par exemple dans tel livre de Robert Pinget (*Quelqu'un*, en 1965), on peut dire que l'auteur a renoncé à *son* style d'auteur. Ce n'est plus l'écrivain qui parle, ce n'est plus l'écrivain qui mène le jeu (ni le « je »). Tout le livre est le « monologue intérieur » *du personnage;* même si ce personnage est un vieillard un peu abêti qui rabâche. Le jeu du romancier est de reconstituer ce radotage, celui d'un vieil homme qui se plaint qu'un papier ait disparu de sa table de travail : « *Il était là ce papier, sur la table, à côté du pot, il n'a pas pu s'envoler. Est-ce qu'elle a fait de l'ordre? Est-ce qu'ELLE l'a mis avec les autres?* » Peu importe que le lecteur ne sache pas qui est cette ELLE, et ne comprenne que dix pages plus loin qu'il s'agit simplement de la femme de ménage. L'essentiel est qu'il entre dans le verbiage du vieillard, s'y perde confusément, et s'identifie à lui. « *J'ai tout regardé, j'ai tout trié, j'ai perdu toute ma matinée, impossible de le trouver. C'est agaçant, agaçant. Je lui dis depuis des années de ne pas toucher à cette table. Ça dure deux jours et le troisième elle recommence, je ne retrouve plus rien* [1]. » Et tout le roman se poursuivra sur ce ton, dans ce long monologue, puisque le seul sujet en est le radotage du vieillard, pendant une journée entière dans une pension de famille, à la recherche d'un feuillet perdu...

Ce roman-monologue n'offre pas de difficulté de lecture, et le seul risque qu'il coure est d'être monotone. Sans cesse, un personnage, toujours le même, y parle, ou plutôt y laisse entendre sa voix intérieure, avec ses inévitables ressassements. Les exemples abondent de cette forme simple et homogène du monologue intérieur. Une Dominique Rolin, après avoir écrit des romans infiniment plus personnels dans le sens de l'étrangeté, comme *Les Marais* en 1942, se convertit au monologue à partir de 1955. En 1964, *La Maison la forêt* commence par le monologue d'un vieillard. Seul, dans la nuit, il tente de dormir, n'y parvient point, se tourne et se retourne, cherche à caresser sa chienne Noire, qui dort dans la même chambre, et, malheureux, angoissé, appelle sa mère dans un cri ridicule de vieil enfant : « *Je suis certain de m'être éveillé avant le rêve. Longtemps ou non, impossible de savoir. A l'instant même où je pense « je suis certain », je commence à douter puisque je cherche à préciser (...). J'ai voulu me redresser en appuyant mes coudes à l'oreiller.*

---

1. Robert PINGET : *Quelqu'un*, p. 7, Éd. de Minuit, 1965.

« *maman.*

« *Je ne suis pas arrivé au bout de mon geste; j'ai pu seulement allonger le bras pour caresser Noire dont la respiration oppressée cherchait, eût-on dit, à me ramener en arrière. Noire, presque invisible encore (...). Mais elle a détourné la tête pour éviter la pression de mes doigts. J'ai eu le temps de considérer ma main comme si elle ne m'appartenait pas, éprouvant de la surprise devant cette chose parfaitement homogène où se concentrait déjà la lumière proche : une sorte de paysage de granit pâle (...). Dégoût pour ma main gauche. Ma main droite s'est glissée sous la veste du pyjama, jusqu'au cœur du vieil homme* [1]. »

Ces notations intimes peuvent avoir leur valeur de réalité et de vérité. Elles peuvent être émouvantes, elles peuvent être lassantes aussi. Dans cette forme de roman, le « *récit* » est supprimé en tant que tel. Il est remplacé par une transcription détaillée de ce qui se passe dans la conscience de l'un des personnages.

Là réside le pouvoir d'envoûtement du monologue intérieur, dont les deux mamelles sont radotage et rabâchage. Avec le monologue intérieur, on fait aisément entrer le lecteur dans la conscience d'un idiot ou d'un fou. On le ferait entrer dans la conscience d'une taupe : Kafka l'a fait.

*
* *

On croirait pouvoir ainsi définir une nouvelle forme littéraire : le roman-monologue intérieur, où n'importe qui parle, un chat, un vieillard gâteux,

---

1. Dominique ROLIN : *La Maison la forêt*, pp. 13-14, Denoël, 1964.

une taupe, un revenant, une clocharde... Le « roman »
ne fait que traduire leur discours intérieur. Nous ne
demanderons pas au romancier qu'il nous explique
la situation psychologique et sociale de ces personnages : nous lirons ce radotage, nous en subirons la
fascination, nous essayerons nous-mêmes de localiser
le « personnage », et l'art du romancier consiste alors
seulement à inventer pour nous ce monologue intérieur de chat, de vieillard, de taupe ou de clocharde.

C'est en fait la forme « pure » du monologue intérieur. On la trouve aussi bien avant 1924 chez Kafka,
qui ne s'inspirait de personne, qu'en 1951 chez Samuel
Beckett ou en 1965 chez Robert Pinget. Elle ne
semble pas avoir varié, en raison de sa pureté même,
et de la simplicité de sa définition : un discours
intérieur.

Mais la passion de l'art, ou le souci de la vérité,
ont suscité bien des variantes et bien des variations.
C'est ainsi que James Joyce, s'il utilise dès 1922 le
monologue intérieur (et sans devoir rien à personne),
n'en limite pas l'emploi à transcrire le discours intime
d'un personnage; il s'empare, en tant qu'artiste, de
ce discours intérieur qui est une matière romanesque
comme une autre, mais il en tord et retord les phrases
pour en faire une œuvre baroque où les mots et les
idées se mêlent et se heurtent jusqu'à exprimer, dans
Finnegans Wake, une autre intention, qui est le
lyrisme exacerbé de l'auteur... Lyrisme aussi chez
Virginia Woolf, qui s'approprie le monologue intérieur de ses personnages et le transforme, à titre
personnel, en poésie impressionniste et vibrante...
Aussi bien William Faulkner, estimant que le *discours* intérieur demeure trop logique, fait parfois
« parler » intérieurement ses personnages dans un

langage inarticulé... Parole désarticulée que Samuel
Beckett reprend pour en faire d'incohérents versets
bibliques à la manière d'un Job devenu fou : « *Je me
vois à plat ventre ferme les yeux pas bleus les autres
derrière et me vois sur le ventre j'ouvre la bouche la
langue sort va dans la boue* [1]... » Puis, chez Nathalie
Sarraute, dans *Les Fruits d'or* par exemple, le roman
n'est plus un monologue intérieur, mais le bruissement des paroles stupides qui courent dans une foule
anonyme [2].

1. Samuel BECKETT : *Comment c'est*, p. 11, Éd. de Minuit, 1961.
2. Sur le monologue intérieur, il n'existe, fort curieusement, en France, d'autre
étude qu'une thèse d'université dactylographiée, de R. W. SEAVER, Université
de Paris, 1954. Il faut cependant citer le petit essai d'Édouard DUJARDIN : *Le
Monologue intérieur* (Messein, 1931), et un bref chapitre dans Michel RAIMOND :
La Crise du roman (José Corti, 1966). Également un article, bref mais précis, de
J. DUBOIS : *Avatars du monologue intérieur dans le nouveau roman*, in *Un nouveau
roman?*, ouvrage collectif, Lettres modernes, 1964.

XII

LA PAROLE INTÉRIEURE :
DE VIRGINIA WOOLF A NATHALIE SARRAUTE

CEPENDANT, après Joyce, Virginia Woolf avait été la première. Lorsqu'elle nous fait accéder à l'intimité hésitante de ses personnages et nous demande de suivre les fluctuations de leurs sensations, elle ne cherche pas à *reconstituer* exactement les pensées en désordre et les impressions fugitives d'une femme esseulée *(Mrs Dalloway)* ou d'un enfant dans une bande de camarades *(Les Vagues)*. Mais, en *peignant*, en évoquant avec intensité une femme seule ou un enfant perdu, elle éprouve le besoin de cesser de les *décrire du dehors*, pour livrer leur « courant de conscience ». Ce besoin est celui d'un peintre impressionniste, qui, devant une cathédrale ou un étang de nénuphars, renonce à les fixer *lui-même* dans un dessin aux traits accusés, et se soumet à son modèle, se contentant de poser des touches de couleur, sans *oser* leur donner une précision linéaire : des touches de couleur qui sont fournies directement par le modèle... Ainsi *Les Vagues* — l'histoire de six enfants dans un parc — commence par une série de cris d'enfants qui traduisent leurs impressions : « *Je vois un anneau suspendu au-dessus de ma tête, dit*

Bernard. Il tremble et se balance au bout d'un nœud coulant de lumière.

« *— Je vois une bande jaune pâle, dit Suzanne. Elle s'allonge à la rencontre d'une raie violette.*

« *— J'entends un bruit, dit Rhoda. Chip... Chap... Chip... Chap... le son monte, et puis descend.*

« *— Je vois un globe, dit Neville. Il pend comme une gouttelette au flanc de la colline* [1]... »

De fugitifs éclairs passent dans ces phrases : fulgurations et merveilles qui *traduisent* les impressions des enfants, mais qui n'en sont pas l'expression directe et autonome : les enfants n'emploieraient pas ces termes :

« *— J'entends le piétinement d'une gigantesque bête enchaînée, murmure Louis. Elle frappe la terre... Du pied elle frappe continuellement la terre...* » Le lyrisme de l'auteur, c'est-à-dire de Virginia Woolf elle-même, reprend à son compte, et dans son style émerveillé, les sensations originelles des enfants.

Avec Virginia Woolf, l'auteur n'*explique* plus les personnages. Mais il ne *transcrit* pas non plus leur monologue intérieur tel quel, tel qu'il est, dans sa brutalité, dans son caractère informe. Le romancier ici *accueille* et reçoit les sensations de ses personnages, et en jouit *en les réimaginant,* en les récrivant. Ainsi lorsque six enfants qui s'exclamaient dans les premières pages du livre se sont égaillés, l'un d'eux reste seul :

« *— Et maintenant, les voilà partis, murmura Louis.* » Le lecteur va entrer dans la petite âme indécise de Louis. Mais — alors que chez Faulkner ou chez Nathalie Sarraute, il s'y trouve jeté sans être

---

1. Virginia Woolf : *Les Vagues,* p. 3, Plon.

prévenu — Virginia Woolf garde une certaine distance entre l'auteur et le personnage : « *murmura Louis* » nous laisse bien entendre qu'il s'agit d'un fait romanesque passé auquel on va provisoirement restituer les chatoiements et la sensation du présent; et le lecteur est conscient d'écouter la résonance des sensations de Louis, c'est-à-dire d'*un autre*. Le « monologue intérieur » de l'enfant est encore *rapporté par un auteur* et *offert à un lecteur*, ce qui fait qu'il y a encore *trois* « personnes » en jeu dans le texte, l'ancienne trinité : romancier-lecteur-personnage. On sait que dans des tentatives plus audacieuses (même chez Beckett), cette trinité se réduira à « un ».

Chez Virginia Woolf, l'ancienne connivence existe encore entre auteur et lecteur : lorsque le petit Louis reste seul, *nous* allons assister à sa peur, à ses frémissements, à ses impressions, mais ils nous sont présentés comme le *sondage* d'une âme étrangère, bien qu'avec la plus grande tendresse : « *Les voilà partis (...). Je suis seul. Ils sont rentrés dans la maison pour le déjeuner du matin, et moi je reste ici, au pied du mur, parmi les fleurs. Il est encore très tôt : ce n'est pas encore l'heure des leçons. Chaque fleur met une tache claire sur les épaisseurs vertes. Chaque pétale est un Arlequin. Les tiges émergent des noires profondeurs. Les fleurs nagent comme des poissons de lumière sur les sombres eaux vertes. Je tiens une tige à la main. Je suis moi-même la tige. Mes racines s'enfoncent dans les profondeurs du monde, à travers l'argile sèche et la terre humide, à travers les veines de plomb, les veines d'argent. Mon corps n'est qu'une fibre. Toutes les secousses se répercutent en moi; et le poids de la terre presse contre mes côtes. Là-haut, mes*

*yeux sont d'aveugles feuilles vertes. Je ne suis qu'un
petit garçon vêtu de flanelle grise* [1]. »

Indéniable est la poésie d'un tel passage. Mais elle
est la poésie que Mrs Virginia Woolf trouve à imaginer un petit garçon vêtu de flanelle grise, et qu'elle
cherche à faire ressentir au lecteur. Le « monologue »
de Louis n'est pas composé avec les mots et les
termes de Louis (chez Nathalie Sarraute ou chez
Robert Pinget les personnages s'exprimeront dans
leur langage). Virginia Woolf s'empare de sensations
enfantines, et en tire un lyrisme qui reste son fait :
« *Je tiens une tige dans la main... Mes racines s'enfoncent dans les profondeurs du monde, à travers l'argile
sèche et la terre humide...* »

A la naissance (ou presque) du monologue intérieur, Virginia Woolf l'utilise comme *matériau* de son
art : elle *emprunte* les sensations d'un enfant, mais
les *retranscrit* en termes littéraires, en leur laissant
seulement un « flou » qui donne une impression
d'étrangement et de poésie. Entre l'auteur et le
personnage, elle recherche une *communion* de la sensibilité, qui n'est même pas une *fusion :* elle veut
sentir comme l'enfant, mais elle exprime ces sensations dans une langue qui est à mi-chemin entre
celle de l'enfant et celle de l'adulte; ou, plutôt, la
langue est celle de l'adulte, et les sensations sont
celles de l'enfant...

Tel fut son art particulier, où le romancier se nour-
rit des sensations de ses personnages et de la contem-
plation du monde : « *Je m'emplis l'esprit de tout ce
que contient une chambre ou un compartiment de chemin de fer, comme on remplit son stylo en le trempant*

1. Virginia Woolf : *Les Vagues*, pp. 5-6, Plon,

dans un encrier[1]. » Ses romans forment un lyrisme
continu de la sensibilité pure. Si elle déroute le lecteur, c'est que rien n'est expliqué et commenté,
mais seulement *senti*, non pas dans la sensibilité
narrative et individuelle d'un romancier ou d'un
héros de roman, mais dans une sensibilité générale
et presque impersonnelle. C'est le « courant de
conscience », le *stream of consciousness* d'Henry
James, tel que le baptisa le philosophe William
James. Festival de sensations, qui est un festival
collectif : « *Je ne crois pas à la valeur des existences
séparées. Aucun de nous n'est complet en lui seul*[2]. »
La vie — romanesque ou réelle — est un kaléidoscope; tout y est fait des fulgurances et des images
multiples qui expriment la sensibilité humaine dans
ses possibilités indéfinies : « *La vérité est que je ne
suis pas de ces gens qui trouvent leur satisfaction dans
la possession d'un seul être ni dans celle de l'infini.
La chambre à coucher m'ennuie, mais le ciel aussi. Je
ne brille que lorsque mes facettes sont exposées à de
nombreux regards*[3]... »

Un des personnages des *Vagues* avoue : « *Je ne
désire pas être assis ce soir auprès d'une seule personne, mais de cinquante*[4]. »

Tournoiement des existences humaines, dont aucune n'est plus importante que les autres, riche et
lointaine nourriture des sensations d'autrui... Nous
mourrons si nous ne partageons les sensations des
autres... et Virginia Woolf en mourut réellement,
lors de son suicide, après avoir écrit quelques romans

1. Virginia WOOLF : *Les Vagues*, p. 63.
2. *Ibid.*, p. 63.
3. *Ibid.*, p. 183.
4. *Ibid.*, p. 146.

complexes où, au lieu de mêler les destins sociaux des hommes, elle mêlait leur vie intime dans son jaillissement, leurs nerfs et leurs palpitations...

Délicate comme Proust, subtile comme Joyce, mais sans exacerbation lyrique, elle créait et affirmait un style romanesque. Ce n'est point l'analyse de Proust, lentement dévidée par un narrateur; ce n'est pas l'univers rabelaisien de Joyce. Mais c'est la musique des vies séparées qui, au niveau de la sensibilité pure, se rejoignent idéalement, c'est-à-dire comme jamais elles ne se rejoignent dans l'existence, puisque le langage et l'amitié sont impuissants à établir cette communion. « *Mrs Woolf remplace la Clef par les clefs*, écrit Charles Mauron dans sa préface à *Orlando, et voici que le monde du roman devient à la fois plus libre et plus riche, entrelacs d'illusions, découvertes qui ne sont jamais définitives, angoisses des couloirs qui mènent je ne sais où, jardins entraperçus. Et tant de serrures plaisamment forgées, tant de secrets à deviner, tant de sésames à dire à voix basse .* »

L'univers de Virginia Woolf est un univers mythique où ce qui n'est pas dit entre les hommes, ce qui n'est pas échangé, ce qui est incommunicable, se trouve exprimé et transcrit, par une certaine forme de la parole intérieure : celle où l'auteur ne donne pas encore totalement la parole au personnage, et pourtant déjà lui fait parler un langage de ressassement intérieur : « *Il est mort, dit Neville. Il est tombé de cheval (...). Oh! si je pouvais chiffonner ce télégramme entre mes doigts, si je pouvais rallumer la lumière du monde et prétendre que Perceval n'est pas mort... Mais à quoi bon détourner la tête? Les faits sont là. C'est vrai. Son cheval a buté; il est tombé. Les blanches barrières, les arbres emportés dans l'orage de la vitesse lui ont paru soudain s'effondrer. Il y a eu une secousse.* » C'est bien Neville qui parle ici, qui traduit ses affres, dans un langage qui n'est pas celui de la conversation, qui constitue la traduction de mouvements très intimes.

Mais ce n'est pas encore le langage non vocal, le langage non syntaxique, celui de la conscience pure. Ce pourrait être le langage d'un journal intime. Entre le journal intime de ses personnages et leur voix intérieure et informulée, Virginia Woolf trace un chant à elle : le monologue intérieur y reste un plaisir personnel de l'artiste.

*
* *

L'impression d'un contact direct avec une réalité humaine innommée et non décrite; des phrases qui évoquent des sensations internes indéfinies, des pensées dont on ne connaît pas l'auteur : « *Non vraiment, on aurait beau chercher, on ne pourrait rien trouver à redire, c'est parfait... une vraie surprise, une chance... une harmonie exquise, ce rideau de velours, un velours très épais, du velours de laine de première qualité, d'un vert profond, sobre et discret... et d'un ton chaud (...). Quelle réussite... On dirait une peau* [1]. » C'est l'intimité d'un personnage livrée avec ses naïves réflexions intérieures : nous connaissons ses pensées, ses réactions internes, nous ne connaissons pas le personnage. Nous l'entendons parler et sentir, nous ne savons qui parle et sent.

Le lecteur du roman balzacien voyait des personnages du dehors. Ils lui étaient *présentés* : Balzac

1. Nathalie SARRAUTE : *Le Planétarium*, p. 7, Gallimard, 1959.

décrit la redingote du père Grandet; il donne sur son personnage un rapport de notaire (ses ancêtres, sa fortune) ou un rapport de police (ses mœurs). On voit ensuite l'homme agir, et ses actes sont commentés par le romancier, qui en suggère une explication. On l'entend parler avec les autres, ruser avec eux, faire des déclarations.

Voilà tout ce qui est supprimé lorsque Nathalie Sarraute annonce l'abolition du « personnage ». A cette vision extérieure (description, mise en action, récit) — qui est celle du cinéma — se substitue une autre *sensation romanesque*, car il ne s'agit même plus d'une vision. Nous ne percevons plus une image, nous « entendons » seulement les murmures à peine ébauchés d'une conscience : « *le rideau en velours vert et le mur d'un or comme celui de la meule, mais plus étouffé, ce chatoiement, cette luminosité, cette exquise fraîcheur* [1]... ».

Le roman n'est plus alors photographie, récit ou commentaire. Il est *une sorte d'appareil à capter les ondes cérébrales d'un inconnu*. Le lecteur de Nathalie Sarraute n'est pas le spectateur d'une action. Il est devant une sorte de table d'écoute, les yeux fermés. Il a un *casque télépathique* sur le crâne et, grâce à cette machine à lire les pensées, il ressent dans ses neurones les frémissements, les sensations, les phrases ébauchées qui circulent dans les neurones d'un autre. C'est le roman de l'indiscrétion télépathique.

On se trouve ainsi jeté à l'intérieur des êtres, au niveau de leur bafouillement : sans pouvoir reconstituer, dans cette brume dorée et dans ce brouillard

---

1. Nathalie SARRAUTE : *Le Planétarium*, p. 8, Gallimard, 1959.

bavard, ce qui peut constituer, éventuellement, une
« intrigue ».

Telle est l'ambiance des romans de Nathalie Sarraute. Qu'elle évoque la bohème montmartroise et
les snobs dans *Tropismes*, en 1935, des esthètes vivant
en famille bourgeoise dans *Martereau* et dans *Le Planétarium*, ou la frivolité des milieux mondains et
littéraires dans *Les Fruits d'or*, en 1963, elle prend
soin de ne jamais « peindre » ou caractériser du
dehors les milieux et les personnages. Ils sont présentés dans une telle brume que l'on met longtemps
à les reconnaître et à les identifier. Tout nage dans
ce placenta qui est fait des impressions élémentaires
et des réflexions ironiques d'un personnage-témoin.
Ainsi dans *Martereau*, ce personnage qui se commente
à lui-même les manèges mondains et les sottises de
la conversation tandis que des fragments de conversation, d'un style infiniment plus vulgaire, se mêlent
à sa réflexion : « *Il est amusant de voir cet air qu'ils
ont tout au début, quand ils ne savent pas encore très
bien à quoi s'en tenir, cet air d'appréhension prudente.
Comme ils tournent autour de vous avec précaution,
comme ils flairent (...). Je ne sais jamais si c'est
quelque chose en eux qui les gêne ou si c'est moi qui
leur fais honte sans le vouloir, en dépit de tous mes
efforts, mais il me semble qu'ils ont envie aussi de
détourner les yeux tandis qu'ils me présentent cela de
l'air le plus négligent, le plus naturel possible :* « C'est
« X... qui m'a raconté ça. Vous ne le connaissez pas?
« C'est un grand ami, il est tout à fait charmant. Il
« a beaucoup vieilli ces derniers temps. La mort de
« sa femme l'a beaucoup éprouvé, mais vous savez,
« il est encore éblouissant dans ses bons moments,
« et si simple... » *Je n'ai pas encore réussi non plus*

*à bien m'expliquer cette jouissance pénible, un peu
écœurante, que j'éprouve quand je les sens qui s'enhar-
dissent peu à peu (...), tandis que je m'efforce de me
maintenir sur mes deux pieds dans une pose décente
et réponds sur un ton où je mêle en les dosant le plus
exactement que je peux le détachement et l'admiration...*
« Non, je ne le connais pas (...)... j'ai entendu dire,
« en effet, qu'il était tout à fait exquis... » *Oui, avec
moi ils jouent à coup sûr* [1]. »

C'est dans cet univers indécis (un univers « mon-
dain ») que s'expriment les fluctuations de conscience
d'un être délicat. Car les romans de Nathalie Sarraute sont tissés des sottises, des vanités, des gros-
sièretés que disent les gens du monde...

Ces romans deviennent alors une sorte d'oreille
de Denys, une table d'écoute branchée sur les conversations inutiles et sur la rumeur bourgeoise. On peut
y entendre, pour prendre l'exemple le plus vulgaire :
« *Mon gendre aime les carottes râpées. M. Alain adore
ça. Surtout n'oubliez pas de faire des carottes râpées
pour M. Alain. Bien tendres... des carottes nouvelles...
Les carottes sont-elles assez tendres pour M. Alain? Il
est si gâté, vous savez, si délicat... Finement hachées,
le plus finement possible... avec le nouveau petit instrument... Tiens, c'est tentant... Voyez, Mesdames, vous
obtenez avec cela les plus exquises carottes râpées* [2]. »

Mais si l'on peut prendre aussi un exemple plus
raffiné et plus fréquent chez elle : des conversations
de salon sur un livre qui vient de paraître :
« — *Dites-moi donc plutôt, je voulais vous demander,
je ne l'ai pas vraiment lu, je n'ai eu que le temps de*

---

1. Nathalie SARRAUTE : *Martereau*, pp. 8-9, Gallimard.
2. Nathalie SARRAUTE : *Le Planétarium*, Gallimard.

le feuilleter, je voudrais que vous me disiez : « Les
« *Fruits d'or, qu'est-ce que vous en avez pensé?*

« — *C'est un livre admirable. D'ailleurs, vous voyez,*
« *je suis en train de le dire... J'écris un article, juste-*
« *ment. Ad-mi-rable* [1]. »

Et, plus loin :
« *Ça a l'air admirable, c'est vrai. Je vais le lire.*
Chaque phrase doit être savourée. Bréhier est un écri-
vain. C'est indiscutable. Ça fera du bien à certains
imbéciles que vous le disiez. Vous entendez, vous,
là-bas, on vous forcera à admirer, on vous enfermera
dans l'admiration, on vous parquera, moutons bêlants,
entourés de chiens... »

Les voix, le bruissement des voix, ce concert de
paroles inutiles, qui accompagne la parution d'un
livre attendu dans les milieux littéraires, tel est le
sujet des *Fruits d'or*, qui évoque le succès d'un
roman intitulé *Les Fruits d'or...* Et tel est l'éternel
sujet des romans de Nathalie Sarraute : le papotage
et la satire du papotage. Très proche de Proust par
le snobisme, très proche de Virginia Woolf par
l'impressionnisme, le brouillard des mots et l'indé-
cision, Nathalie Sarraute emploie à sa manière cette
découverte littéraire que fut le monologue intérieur.
Tous ses livres sont un concert de voix bavardes et
une douce dérision du bavardage général. Elle joue
à évoquer les voix humaines, et leurs radotages élémentaires, dans une sorte d'unanimisme stéréophonique : la conversation disloquée : la vie verbale des
hommes dans toute sa stupidité légère...

---

1. Nathalie Sᴀʀʀᴀᴜᴛᴇ : *Les Fruits d'or*, p. 36, Gallimard.

XIII

HISTOIRE DU MONOLOGUE INTÉRIEUR

RIEN de délibéré avant 1953, dans l'investisse-
ment du style romanesque par le style du monologue intérieur. Supprimer les présentations, les
descriptions, les commentaires, et laisser la parole à
la demi-conscience de personnages inconnus brutale-
ment projetés devant nous et en nous, ce fut, entre
1922 et 1953, une ressource, et, si l'on veut, un
« procédé » auquel on avait parfois recours, mais qui
n'apparaissaient jamais comme systématiques.

Ils n'existaient pas chez Proust sous cette forme
directe; au contraire, dans *La Recherche du temps
perdu,* s'il est vrai que les personnages restent flot-
tants et vus à travers les brumes du passé ou du
souvenir, le narrateur Marcel ne cesse de les commenter et de les décrire. C'est avec l'*Ulysse* de Joyce en
1922 que le procédé du monologue intérieur appa-
raissait comme un défi. Puis, il y eut Virginia Woolf
avec *Mrs Dalloway* (1925) et *Les Vagues* (1931). En
même temps, *Le Bruit et la fureur* (1929) et *Tandis
que j'agonise* (1930), de Faulkner. Et encore l'unanimisme brutal et la stéréophonie de hurlements
inconscients qui forment le tissu de tant de pages

de la trilogie de Dos Passos *(42ᵉ parallèle, 1919, La Grosse Galette)* entre 1930 et 1936, précédée par *Manhattan Transfer* en 1925.

Mais ces distorsions du style romanesque ne semblent pas avoir les mêmes origines ni les mêmes intentions. Proust et Virginia Woolf sont des esthètes européens, et leurs procédés nouveaux appartiennent à un intimisme subtil; les gigantesques audaces de Joyce sont celles d'un Rabelais irlandais qui croit à l'imagination plus qu'à la réalité. Au contraire, c'est une réalité psychologique et tragique qu'exprime Faulkner, et s'il écrit des pages dans le style rudimentaire d'un idiot, c'est pour évoquer de manière réaliste un monde terne et sanglant vu par un idiot. Avec Dos Passos, la réalité collective explose en balbutiements intérieurs de l'homme de la foule, en enseignes lumineuses, en coupures de journaux... Aucune parenté entre l'inspiration européenne, qui est une recherche esthétique un peu décadente, et l'inspiration américaine, qui est l'affirmation d'un réalisme : puisque l'homme du xxᵉ siècle a des pensées confuses, le roman sera fait de pensées confuses.

Elles sont précises et brutales, ces pensées, chez William Faulkner, qui, avec un art très pathétique, livre les réflexions brutes d'un être élémentaire, Benjy l'idiot, engagé malgré lui comme *caddy* sur un terrain de golf. Benjy regarde agir les joueurs, et enregistre tout : « *A travers la barrière, entre les vrilles des plantes, je pouvais les voir frapper. Ils s'avançaient vers le drapeau, et je les suivais le long de la barrière. Luster cherchait quelque chose dans l'herbe, près de l'arbre à fleurs. Ils ont enlevé le drapeau, et ils ont frappé. Et puis ils ont remis le drapeau et ils sont allés vers le terre-plein, et puis il a frappé, et l'autre a frappé* [1]... »

C'est à travers ces monologues rudimentaires que Faulkner laissera deviner une sourde tragédie : la tragédie de ces êtres violents et frustes qui peuplent son monde misérable et symbolique. Mais, au niveau du langage, au niveau de la sensation communiquée par la phrase au lecteur, Faulkner offre des impressions à ras de terre, traduites par un esprit simpliste. Cette tragédie latente devient une épopée lyrique paysanne dans un texte comme *Tandis que j'agonise*, où, autour du cercueil d'une mère de famille, ses proches, ses fils et ses parents juxtaposent des monologues butés : « *La première fois que Lafe et moi on est allés cueillir le coton. Notre père n'ose pas suer parce qu'il attraperait la mort comme ça tous ceux qui viennent nous aider. Et à Jewel tout lui est égal pour ce qui est de s'intéresser aux choses il n'est point de la famille. Et Cash trop occupé* [2]... » A travers cette prose dense, lourde, presque caricaturale, que l'on n'oserait pas utiliser dans un roman paysan français, Faulkner a l'art de laisser transparaître des drames de violence et d'érotisme qui prennent une signification brutale et obsédante de tragédie-boucherie. L'univers misérabiliste, ardent et désespéré de Faulkner a séduit le monde entier, influençant les néo-réalismes italiens et espagnols après avoir apporté en France, entre 1937 et 1945, la leçon brutale, fade, exacerbée, du « roman américain ».

1. William FAULKNER : *Le Bruit et la fureur*, p. 17, Gallimard, trad. M.-E. Coindreau.
2. William FAULKNER : *Tandis que j'agonise*, p. 31, Gallimard, trad. Valery Larbaud.

* *

Ainsi, le balbutiement des êtres, leur conscience brute et leur langage inarticulé avaient été introduits dans le roman selon deux intentions différentes. James Joyce, Virginia Woolf, ou encore Nathalie Sarraute dès son premier livre, y apportaient une complaisance esthétique, formant avec cette matière brute des mosaïques, des réseaux, des dessins. Au contraire, lorsque Dos Passos ou Faulkner utilisaient ce langage direct qui consiste à jeter dans l'esprit du lecteur les rumeurs d'une foule, ou les impulsions et les radotages d'un être fruste comme Benjy l'idiot, ils éprouvaient le besoin d'exprimer avec une intention documentaire et sociale, l' « âme » d'un déshérité.

Entre ces deux directives, l'esthétique et l'optique propres au monologue intérieur ne semblaient pas constituer une formule artistique de portée universelle : seulement un procédé, sporadiquement employé à la fois par des esthètes et par des écrivains à intentions naturalistes... Il faudra attendre 1953 pour en voir une systématisation dans l'école française du nouveau roman. Mais à l'époque de la Seconde Guerre mondiale, une première « vague » apparaît en France où, pour la première fois, est utilisé ce genre d'écriture romanesque, en partie dans *L'Étranger* de Camus en 1942, et surtout dans *Les Chemins de la liberté* de Jean-Paul Sartre.

Tout a été dit sur *L'Étranger* : monologue intérieur, en ce sens que le roman est entièrement vécu dans la conscience d'un personnage unique; mais discours intérieur plus que monologue. Tout l'art du livre — ou du moins de la première partie — tient dans le fait que l'on y voit vivre un personnage sans que celui-ci révèle ses motivations, apparaissant ainsi comme un indifférent. Ce postulat romanesque est celui d'un Kafka inversé. Dans *Le Procès* ou *Le Château*, le héros du livre cherche à justifier soigneusement ses actes et à comprendre le monde qui l'entoure; c'est le monde, autour de lui, qui refuse d'être logique et clairement enchaîné. Inversement, dans *L'Étranger*, c'est le héros qui ne donne pas la raison de ses actes dans un monde mal organisé certes, mais qui s'efforce d'être superficiellement logique... Sobrement employé, le procédé a un effet certain. Le livre est celui d'un Kafka baigné de lumière méditerranéenne, avec une brutalité dans l'énoncé neutre des accidents de la vie, qui rappelle Faulkner.

Plus nettement, et pour la première fois en France, Jean-Paul Sartre emploie méthodiquement les « techniques nouvelles », lorsqu'il publie en 1945 les deux premiers tomes des *Chemins de la liberté*, écrits deux ou trois ans plus tôt. C'est alors le moment où l'Europe vient de découvrir le « roman américain », qui avait été traduit et diffusé par Maurice-Edgar Coindreau à partir de 1934. Pendant la guerre et pendant l'occupation, le « roman américain », introuvable en librairie, devient l'objet d'un culte et comme un symbole de la liberté. Sa vogue explosera dans le grand public en 1945. Le premier livre d'un excellent écrivain comme Jean-Louis Bory, *Mon Village à l'heure allemande* (Prix Goncourt 1945), sera un pastiche *général* du « roman américain ». En 1948, Claude-Edmonde Magny publiera *L'Age du roman américain*... Ce fut une brève époque où, dans cet engouement, la France s'initia au monologue intérieur, au roman où le conteur laisse parler la sousconscience de ses personnages.

Avec maîtrise et avec saveur, Jean-Paul Sartre construisit un ou deux romans sur cette nouvelle structure romanesque, celle qui substitue des sensations intérieures, des monologues, des pensées confuses ou des bruits de foule, à une vaste narration menée par l'auteur omniscient.

Il y était prédestiné : dès 1937, dans *La Nausée* (sans aucune influence encore, semble-t-il, du « roman américain »), son « Journal de Roquentin » était le ressassement d'une conscience inquiète, avec des notations intimes, presque viscérales : « *J'avais les yeux vides et je m'enchantais de ma délivrance. Et puis, tout d'un coup, ça s'est mis à remuer devant mes yeux, des mouvements légers et incertains : le vent secouait la cime de l'arbre. Ça ne me déplaisait pas de voir bouger quelque chose, ça me changeait de toutes ces existences immobiles (...). Je me disais, en suivant le balancement des branches : les mouvements n'existent jamais tout à fait (...). Je m'apprêtais à les voir sortir du néant, mûrir progressivement, s'épanouir* [1]. »

L'art littéraire de Sartre — trop oublié aujourd'hui — consistait en ce relent d'intimité, en ce goût d'arrière-gorge, cette impression que l'on éprouve, dans *La Nausée* ou dans *L'Age de raison*, de déglutir sa salive en même temps que le personnage, dans les mêmes dispositions d'esprit que lui : un impressionnisme très cérébral qui fit le génie de Sartre, pendant un temps, et qui constitue une des belles réussites (une des plus immédiatement accessibles), du roman de monologue intérieur et de sensation interne. *L'Age de raison*, tout en gardant un caractère narratif, baigne dans cette moiteur, le roman est

---

1. Jean-Paul SARTRE : *La Nausée*, p. 172, Gallimard.

vécu, par bribes, par épisodes quotidiens, à travers
la conscience de Mathieu (ou, accessoirement, de
quelque autre personnage comme Daniel). On y sent
le relent de l'existence, et surtout la sensation du
présent, lorsque Mathieu s'assied dans un parc; il y
passe des bouffées de lumière vague, d'obsédante
présence du monde extérieur : « *Le Luxembourg,
chaud et blanc, statues et pigeons, enfants. Les enfants
courent, les pigeons s'envolent. Courses, éclairs blancs,
infimes débandades.* Il s'assit sur une chaise de fer :
*Où vais-je trouver l'argent? Daniel ne m'en prê-
tera pas (...).* Mathieu s'arrêta brusquement, il se
voyait penser, il avait horreur de lui-même. *A cette
heure-ci, Brunet marche par les rues, à l'aise dans la
lumière (...).* Il pensa tout à coup : « Je suis vieux.
« *Je suis vieux. Me voilà affalé sur une chaise, engagé
« dans ma vie et ne croyant à rien*[1]. » Au moins trois
« niveaux » du récit, trois optiques romanesques se
mêlent en quelques phrases : une sensation rappor-
tée comme telle, flottante, presque impersonnelle.
*(Le Luxembourg, chaud et blanc, statues et pigeons,
enfants...)* Le personnage est pourtant vu aussi de
l'extérieur (*Il s'assit sur une chaise de fer*, ou *Mathieu
s'arrêta brusquement*). Puis intervient le monologue,
le vrai monologue *(Où vais-je trouver de l'argent?...)*,
et c'est lui qui se poursuit, donnant au livre, au
style, aux pages, cette saveur de soi et de lassitude
de soi qui caractérise Mathieu : « *Je suis là, je me
déguste, je sens le vieux goût de sang et d'eau ferru-
gineuse, mon goût, je suis mon propre goût, j'existe.* »
    Ce sentiment de la conscience vaine, de la
conscience vide où l'homme est pour lui-même un

1. Jean-Paul SARTRE : *L'Age de raison*, p. 53, Gallimard.

être qui « se boit sans soif », comme dit Mathieu dans
la même page, tout cela formait la sensibilité littéraire personnelle de Sartre, de *La Nausée* au premier
tome des *Chemins de la liberté*. Désirant s'évader de
cette solitude, influencé à cette époque par le « roman
américain », Sartre va opposer à ce ressassement,
dans *Le Sursis*, la vie collective : l'existence absurde,
morcelée, mais vécue simultanément par plusieurs
consciences, sur plusieurs points du globe.

Le Sursis est l'histoire d'un événement : la crise
de Munich en septembre 1938, des millions d'hommes
menacés par la guerre, la redoutant, l'espérant, la
conjurant, se débattant devant elle. Mais l'événement n'est raconté *par personne.* Il n'y a pas, planant
au-dessus du roman, un romancier-démiurge qui
expose les faits et fasse apparaître leurs conséquences
sur les personnages. Il n'y a que des personnages
(qui ne se connaissent pas entre eux), sur plusieurs
points de l'Europe et de l'Afrique, et qui vivent
simultanément, chacun à sa façon, cet « événement »
qu'est la menace de guerre : « *Seize heures trente à
Berlin, quinze heures trente à Londres. L'hôtel s'en-
nuyait sur sa colline, désert solennel, avec un vieillard
dedans.* (Il s'agit de Chamberlain, venu négocier un
« sursis » avec Hitler.) *A Angoulême, à Marseille, à
Gand, à Douvres, ils pensaient : « Que fait-il? » (...)
Il était assis dans le salon aux persiennes demi-closes,
les yeux fixes sous ses épais sourcils, la bouche légèrement ouverte (...). Dans le hall de l'hôtel, les journalistes attendaient (...). Milan Hlinka n'attendait
plus (...). Il y avait eu cette lourde journée noire tra-
versée par une certitude fulgurante : « Ils nous ont
« lâchés. »* (A 300 km de Godesberg, Hlinka est un
Tchèque des Sudètes, déjà assiégé par les hitlériens.)

A quinze heures trente, Mathieu attendait encore, au bord d'un horrible avenir; au même instant, à seize heures trente, Milan n'avait plus d'avenir. Le vieillard (Chamberlain) *se leva, il traversa la pièce* [1]... »

Trois personnages, dont chacun ignore l'existence des autres : à Godesberg, le Premier ministre anglais qui attend, en faisant la sieste, une entrevue avec Hitler; sur une plage de France, Mathieu Delarue, un professeur qui s'attend à être mobilisé avant même que la guerre éclate; en Tchécoslovaquie, un Tchèque déjà menacé par les bandes nazies dans son pays que les Alliés sont sur le point de cesser de défendre et de garantir. C'est par la *juxtaposition* de ces trois cas — de ces trois *consciences* — que Sartre veut montrer ce qu'est un événement historique. Exactement comme le feront, vingt ans plus tard, avec plus de faconde et de facilité, les journalistes qui évoqueront, en mettant bout à bout des témoignages, telle journée historique comme le 6 juin 1944 *(Le jour le plus long...).*

Le procédé était alors presque nouveau, et seul Dos Passos en avait fait usage. Il constitue la structure de tout ce roman habile et presque épique qu'est *Le Sursis.* Sans cesse on l'y retrouve, rythmé, varié ou condensé comme dans ces passages de simultanéisme et d'unanimisme où, presque dans la même phrase, deux, trois, quatre personnages indépendants les uns des autres s'éveillent en même temps : « *On frappait; Chapin était en tête à présent et les autres le suivaient et frappaient leurs chevaux, par émulation; on frappait, Mathieu s'était levé, il se frottait les yeux; on frappait; l'autocar fit une embardée pour*

---

1. Jean-Paul SARTRE : *Le Sursis*, p. 7, Gallimard.

éviter un Arabe à bicyclette qui portait une grosse
musulmane voilée sur le cadre de son vélo; ON FRAP-
PAIT *et Chamberlain sursauta, il dit :* « Holà qu'est-ce
« que c'est? Qui frappe? » (...) A l'entrée de la caserne,
il y avait une barrière de bois. Une sentinelle montait
la garde [1]*... »*

Une incohérence apparente dans ces phrases bous-
culées s'explique vite si l'on connaît les personnages.
Car elles ne concernent pas une seule scène, mais
quatre scènes différentes, vécues simultanément, à
des centaines ou à des milliers de kilomètres, par
quatre personnages du roman : Chapin est un paysan qui, en compagnie des hommes de son village,
conduit à la caserne, dans le Berry, les chevaux réqui-
sitionnés par le premier ordre de mobilisation. Il
frappe sur son cheval, et, en même temps, Mathieu
Delarue, civil mobilisable, s'éveille lentement; à
Godesberg aussi, se réveille de sa sieste le Premier
ministre anglais, lord Chamberlain, qui doit rencontrer Hitler; pendant ce temps, au Maroc, Pierre,
régisseur d'une tournée théâtrale dans le Maghreb,
a le mal de mer en autocar.

Sans doute ce procédé de juxtaposition a été
employé bien des fois après 1945, et point seulement
dans la littérature. Mais jamais avec autant de maîtrise, ni autant de facilité. *Le Sursis* devrait marquer
une date dans l'utilisation, en France, non seulement
du monologue intérieur, mais dans les possibilités de
simultanéismes et de mirages qu'offre l'emploi de
plusieurs monologues intérieurs.

Pourtant, peut-être parce qu'elle était magistrale,
cette œuvre ne fit pas immédiatement école. Au

---

1. Jean-Paul SARTRE : *Le Sursis*, p. 67, Gallimard.

demeurant, on ne pouvait la recommencer, car il y fallait un grand événement historique, et la répétition du procédé eût été monotone...

L'attention du public littéraire français se détourne, à partir de 1947, vers d'autres charmes romanesques, la désinvolture, l'insolence et le picaresque... Ni le talent personnel de Jean-Paul Sartre à rendre la saveur intime des consciences ni son habileté à mettre en forme cartésienne le collectivisme de Dos Passos, ne contribuèrent efficacement à implanter en France quelque emploi du monologue intérieur.

*
* *

Après la vogue américaine et sartrienne de 1945, il faudra attendre huit à dix ans pour que, sous une autre forme et avec d'autres intentions, l'appel au monologue et à la sous-conscience vienne créer un courant littéraire qui, cette fois, nourri par une tradition et exploité presque systématiquement par une nouvelle génération, s'impose à l'attention, au snobisme et à la contestation. C'est peu après 1950 que divers écrivains méconnus ou encore inconnus imposent soudain une écriture difficile, et un texte de monologue intérieur ou de « roman objectal » : Nathalie Sarraute, Samuel Beckett, Alain Robbe-Grillet, Michel Butor, Claude Simon, et, plus tard, Claude Mauriac, Robert Pinget...

Ils apparaissent lentement, et, surtout, leur apparition n'est pas concertée. Par exemple, le premier livre de Nathalie Sarraute est *Tropismes*, en 1938, date où Alain Robbe-Grillet avait seize ans. *Tropismes* est suivi à dix ans de distance par *Portrait*

d'un inconnu en 1948 : époque où, encore, personne
ne faisait de l'emploi du monologue intérieur une
théorie littéraire. Et c'est en 1947 aussi que l'un
des aînés de la nouvelle vague littéraire, Samuel
Beckett, publie son premier roman : *Murphy*, suivi
de *Molloy*, en 1951. Beckett est un Irlandais établi
à Paris, disciple de Joyce, et qui s'est mis à écrire en
français.

En 1951, encore, rien ne laisse présager une tendance littéraire généralisée qui se consacre à une
forme d'écriture où prédominera le monologue intérieur. Nathalie Sarraute et Samuel Beckett sont
des isolés, appréciés d'un très petit nombre de lecteurs.

A partir de 1953-1954, cette tendance littéraire
s'affirme brusquement, avec le premier roman d'Alain
Robbe-Grillet, *Les Gommes*, en 1953, et avec le premier roman de Michel Butor, *Passage de Milan*, en
1954, puis avec les livres de Claude Simon, etc.

Ainsi semble se former une convergence. Elle n'est
pourtant pas due à une entente ni à des directives
préalables : Michel Butor n'a pas été influencé, à
un an de distance, par Robbe-Grillet. Ni l'un ni
l'autre n'ont probablement été influencés par Nathalie Sarraute — ni même par Samuel Beckett. On
pourrait dire qu'ils ne se connaissent pas.

Jusque vers 1953-1954, cette convergence s'explique par le fait suivant : quelques écrivains, de
style très personnel, ont subi une forte influence de
Joyce, de V. Woolf, éventuellement de Faulkner ou,
pour Beckett, de Kafka. Ils réagissent simultanément devant la vacuité du roman picaresque ou
désinvolte de 1950-1955, et cherchent des formes
littéraires plus exigeantes et plus abstruses. Mais

jusque-là leur apparition et leur choix d'une forme
littéraire sont spontanés : ils ont subi des *influences
communes*. Il leur reste à se rencontrer.

Ce sera le fait d'un éditeur, le directeur des Éditions de Minuit. C'est lui qui groupe plus ou moins
ces écrivains. Et, à partir de ce moment, il leur arrivera de s'épauler, même involontairement, et de
sembler constituer un petit groupe réuni par des
tendances communes et des influences communes (la
principale étant Joyce). D'autres alors viendront se
joindre à eux : des « convertis » en quelque sorte
— qui avaient d'abord écrit dans un autre genre, et
qui maintenant adoptent certains procédés littéraires,
dont le monologue intérieur. Par exemple Robert
Pinget, dont le premier roman, en 1952, était différent, mais dont *Graal Flibuste*, en 1956, appartient
à ce genre « nouveau ». Par exemple encore, Claude
Simon, dont les premiers romans étaient différents
aussi, mais qui en 1957, avec *Le Vent*, encouragé et
influencé par la vague nouvelle, adopte aussi un
nouveau style; et encore Claude Mauriac, critique
littéraire et romancier, mais d'abord dans un tout
autre genre, et qui se « convertit » en 1959 avec *Le
Dîner en ville*.

C'est autour de 1960 qu'un ensemble de tendances
littéraires, fort divergentes à l'origine, prit figure
d'école littéraire. Dès 1957-1958, cette « école » avait
reçu le nom d' « école du regard » ou d' « antiroman »,
et à partir de 1959 elle est couramment évoquée par
le journalisme et par la critique comme l'école du
« nouveau roman ». Elle semble avoir ses manifestes :
Une voie pour le roman futur, de Robbe-Grillet, et
L'Ère du soupçon, de Nathalie Sarraute. Mais sa
cohésion est apparente et imaginaire. Fort différentes

sont les intentions d'Alain Robbe-Grillet, ingénieur qui transpose son ingéniosité dans l'invention littéraire et dans une carrière littéraire; celles de Nathalie Sarraute, bourgeoise de gauche, un peu snob, qui écrit pour son plaisir, et celles de Michel Butor, professeur et romancier dont la vocation est celle d'un esthéticien.

Entre eux, un seul trait commun : ils n'écrivent pas au niveau du « récit ». « Objectif » ou « subjectif » peut être leur texte; leur roman obéit aussi bien aux structures du roman policier qu'à celles du monologue intérieur, ou, s'il le faut, à une minutie proustienne...

Leur rencontre quasi fortuite (significative pourtant) est saluée dans les milieux littéraires et dans la presse comme la création d'un nouveau style romanesque. Certes, Alain Robbe-Grillet se défend d'avoir jamais songé à créer une « école », et refuse le plus souvent le rôle de porte-parole [1]; il n'en reste pas moins que les Éditions de Minuit réunissent des romanciers, brusquement apparus, dont les intentions et les procédés sont de même nature que les siens : Claude Simon, Claude Ollier, Robert Pinget, Michel Butor jusqu'en 1960, puis Jean Ricardou ou Paul Geaguff...

D'autre part, à partir de 1962, un autre groupe se forme autour des Éditions du Seuil et de la revue *Tel Quel*. Avec Marcelin Pleynet, Philippe Sollers, Jean-Pierre Faye et parfois Roland Barthes en sont les théoriciens. En 1964 est organisé un « *Débat sur le roman* » à Cerisy, auquel participent Michel Fou-

---

1. Voir cependant son exposé sur « Le Nouveau Roman », dans *Dictionnaire de Littérature contemporaine*, pp. 75-83, Éd. Universitaires, 1963. C'est le seul texte où Robbe-Grillet commente ce mouvement littéraire dans son ensemble.

cault, Jean-Pierre Faye, Claude Ollier, Jean Thibaudeau, Philippe Sollers, Jean Tortel, auquel ont
été invités Marie-Jeanne Durry, Maurice de Gan-
dillac et un adepte italien du « nouveau roman »,
Edoardo Sanguineti [1]. Des romans comme *Le Parc*
de Philippe Sollers en 1961 ou *L'Écluse* de Jean-
Pierre Faye en 1964 s'imposent à un assez large
public.

Le groupe de *Tel Quel* est assez différent du groupe
des Éditions de Minuit. Si l'on excepte Samuel Beckett, autour des Éditions de Minuit se groupaient
des romanciers dont l'art est fait d'une modification
ingénieuse et systématique de la vision ou de l'acoustique dans le roman, selon des procédés proches de
Robbe-Grillet. Les théoriciens et les romanciers de
Tel Quel partent au contraire des problèmes de l'écriture, du langage et du style, tels que les avaient
posés Georges Bataille ou Maurice Blanchot, tels que
les pose Jean Cayrol; ils n'hésitent pas à employer
le mot de « phénoménologie », c'est-à-dire à estimer
que l'écriture romanesque n'est pas la description
d'un « objet » (l'histoire, les personnages) par un
« sujet » (le romancier, ou le personnage qui dit « je »),
mais une perpétuelle approximation et une perpétuelle lutte entre le sujet et l'objet... En 1965, *Drame*,
de Philippe Sollers, était fait des aventures, des
repentirs et de la vie phénoménologique d'un romancier qui voudrait écrire un roman...

Malgré les orientations diverses qui peuvent tenir
à une personnalité ou à un groupe, un fait s'affirmait en France entre 1953 et 1966 : l'attachement
systématique, dans certaines tendances littéraires, à

---

1. *Tel Quel,* numéro de printemps 1964.

un roman qui cessait d'être un récit, pour devenir une étude stéréophonique ou une étude stéréoscopique, un roman qui exige un effort particulier de déchiffrement et qui met en question la nature même de la vision humaine et de la vision romanesque [1].

1. Le recueil collectif *Un nouveau roman?*, publié sous la direction d'I. H. MATTHEWS (Lettres modernes, 1964), est actuellement l'étude la plus complète sur ce sujet. On peut y ajouter des ouvrages plus polémiques : J.-B. BARRÈRE : *La Cure d'amaigrissement du roman* (A. Michel, 1964); Jean BLOCH-MICHEL : *Le Présent de l'indicatif* (Gallimard, 1963); Ludovic JANVIER : *Une parole exigeante* (Éd. de Minuit, 1964). Il faut aussi rappeler le numéro spécial de la revue *Esprit* (juillet-août 1958) et le livre de Claude MAURIAC : *L'Alittérature contemporaine* (A. Michel, 1958). Cependant, tous ces ouvrages examinent le nouveau roman en lui-même, sans le mettre en rapports avec les mouvements plus vastes qui l'ont précédé, en France, dans les littératures anglo-saxonnes et en Allemagne.

XIV

VARIATIONS DU MONOLOGUE INTÉRIEUR :
QUI PARLE ?

CE roman ne se propose plus comme un récit. Ses divers mouvements sont des jeux d'ombres, ou des voix indécises qui se précisent, crient, s'effacent... Il se déroule à divers *niveaux;* nous ne savons jamais QUI PARLE ?

Il faudrait étudier le roman nouveau en précisant, dans la stéréophonie qu'il crée, en chambre noire, *où* se situent les diverses voix ou images qu'il fait entendre et voir. L'étude serait longue et pédante... Un peu inutile aussi, car les procédés s'y répètent et s'y brouillent. Il doit suffire d'évoquer en quelques séquences rapides, ce « cabinet des images », tel qu'il offre ses phantasmes de Joyce à Robbe-Grillet ou à tel autre. Car les formes de ce roman à relief auditif ou visuel sont nombreuses : récit, monologue, dépersonnalisation, monologues simultanés, objectivité, obsession, mélange de la voix intérieure et du récit, scènes imaginaires intercalées dans le réel vécu, etc. Mais ces formes ne suivent pas une évolution chronologique et les voies d'une progressive découverte. Elles coexistent, elles sont employées simultanément, ou, par influence et imitation, avec vingt ans de retard. On n'en pourrait suivre l'évolution, on peut seulement les citer, dans la variété de quelques séquences.

*
* *

Dès l'origine, l'*Ulysse* de James Joyce offrait les deux extrêmes : du récit traditionnel au monologue intérieur le plus abstrus. Le premier chapitre obéit au « cadrage » le plus simple du récit objectif : « *Majestueux et dodu, Buck Mulligan parut en haut des marches, porteur d'un bol mousseux sur lequel reposaient en croix rasoir et glace à main. L'air suave du matin gonflait doucement derrière lui sa robe de chambre jaune, sans ceinture (...). Apercevant alors Stephen Dedalus, il s'inclina dans sa direction (...). Accoudé sur la dernière marche, somnolent et contrarié, Stephen Dedalus considérait avec froideur le visage remuant et glougloutant*[1]... »

Que Buck Mulligan vienne se raser devant son cadet Stephen Dedalus, et que James Joyce évoque cette scène avec une verve ironique, il n'y a là rien de bien nouveau, le lecteur reste encore dans le style traditionnel. Mais au cours des dix-huit chapitres (qui sont une caricature des dix-huit livres de *L'Odyssée*), il sera soumis à toutes les formes de lyrisme, de description objectale, de monologue intérieur, de rabâchage, d'impressionnisme, d'expressionnisme, de vocifération ou de délire, que puisse imaginer un romancier qui a décidé de dérouter le lecteur... Le chapitre XVIII est constitué par une seule longue phrase, sans ponctuation sur trente pages. Ce sont, brutes, informes, douces, les pensées presque informulées de Marion Bloom en train de s'endormir, de

1. James JOYCE : *Ulysse*, p. 7, Gallimard, 1948.

rêver à sa jeunesse, et de bafouiller intérieurement aux approches du sommeil : « *O cet effrayant torrent tout au fond O et la mer la mer écarlate quelquefois comme du feu et les glorieux couchers de soleil et les figuiers dans les jardins de l'Alameda et toutes les ruelles bizarres et les maisons roses et bleues et jaunes et les roseraies et les jasmins et les géraniums et les cactus de Gibraltar quand j'étais jeune fille et une Fleur de la montagne oui quand j'ai mis la rose dans mes cheveux comme les filles Andalouses ou en mettrai-je une rouge oui et comme il m'a embrassée sous le mur mauresque je me suis dit après tout aussi bien lui qu'un autre et alors je lui ai demandé avec les yeux de demander encore oui et alors il m'a demandé si je voulais oui dire oui ma fleur de la montagne et d'abord je lui ai mis mes bras autour de lui oui et je l'ai attiré sur moi pour qu'il sente mes seins tout parfumés oui et son cœur battait comme fou et oui j'ai dit oui je veux bien Oui* [1]. »

On sait que Joyce osa davantage, puisque dès 1922 il commençait à écrire *Finnegans Wake*, qui n'a jamais pu être intégralement traduit en français, ni même lu intégralement par un Anglais : texte de lyrisme épique et cosmique. Le sujet en est simplement une veillée funèbre autour d'un ouvrier irlandais mort accidentellement et qui ressuscite à coups de whisky. Mais cette farce rabelaisienne se transforme en une épopée où le langage devient fou, car Joyce transmute le vocabulaire courant en vocabulaire exaspéré, dépiautant les mots du dictionnaire pour y chercher une exacerbation lyrique. Un excellent essai partiel de traduction française rend compte

1. James JOYCE : *Ulysse*, pp. 709-710, Gallimard.

de cette tentative, comme dans un des passages les plus simples de cette veillée devant un cercueil : « *Il fait parfait degré excelsius. Cy encore la rose-gorge. Nuée couve mais maquereaux sont. Anémone activement la torporature retaube à la normatinale. Nature humide se sent tâtonnant à l'aise avec le tout fresco. La verveine claironne alors que l'herbe s'éveille* [1]... »

Pouvait-on aller plus loin dans cette entreprise qui consiste à placer le lecteur en chambre noire, à le dépersonnaliser, à l'hypnotiser, à lui faire entendre des voix? Toutes les variations possibles du monologue intérieur semblent déjà se trouver dans *Ulysse* et, trente ans plus tard, ceux qui ont subi sa lente influence en l'espace d'une génération, n'offrent bien souvent, dans leurs recherches d'acoustique et d'optique stylistiques, que la monnaie de James Joyce. Mais leur défilé, leurs procédés et les variations du procédé, mettent en lumière la richesse initiale de Joyce.

★
★ ★

Samuel Beckett, Irlandais comme lui, est directement et nommément son disciple. Comme Joyce, il infuse un lyrisme aux « voix » de ses personnages. Le lyrisme joycien était truculent; celui de Beckett est triste, misérabiliste, à résonances métaphysiques, puisqu'il évoque un monde absurde hanté par l'absence de Dieu. Bien avant *Ah, les beaux jours!* où une femme-monologue s'enfonce lentement dans le sol, bien avant les hommes-troncs et les hommes-poubelles du théâtre beckettien, Beckett avait trouvé

---

1. James JOYCE : *Finnegans Wake*, p. 39. Fragments adaptés par André Du BOUCHET, Gallimard, 1962.

son style dans *Murphy*, dans *Molloy*, puis dans
Comment c'est : le style des lamentations de Job. Ce
sera, dans *Molloy*, le radotage d'un homme épuisé :
« *Cette fois-ci, puis encore une je pense, puis c'en sera
fini je pense, de ce monde-là aussi. C'est le sens de
l'avant-dernier. Tout s'estompe. Un peu plus et on sera
aveugle. C'est dans la tête. Elle ne marche plus, elle
dit. Je ne marche plus. On devient muet aussi et les
bruits s'affaiblissent. A peine le seuil franchi c'est
ainsi. C'est la tête qui doit en avoir assez. De sorte
qu'on se dit. J'arriverai (...) cette fois-ci, puis encore
une autre peut-être, puis ce sera tout. C'est avec peine
qu'on formule cette pensée, car c'en est une, dans un
sens* [1]. »

Et, peu à peu, cette voix monotone, sourde et
lasse du monologue intérieur devient une série de
versets bibliques où l'homme sans cesse dit sa peine,
dans une langue triste et pleine, comme ces larves
qui rampent sur la boue, dans *Comment c'est* :

« *instants passés vieux songes qui reviennent ou
frais comme ceux qui passent ou chose chose toujours
et souvenirs je les dis comme je les entends les murmure dans la boue*

« *en moi qui furent dehors quand ça cesse de haleter
bribes d'une voix ancienne en moi pas la mienne*

« *ma vie dernier état mal dite mal entendue mal
retrouvée mal murmurée dans la boue brefs mouvements
du bas du visage pertes partout* [2]. »

L'art de Beckett était celui d'une voix inépuisable
et misérable : monologue auditif. On pourrait presque
dire qu'il existe, à partir de 1953, et sous l'influence
de Robbe-Grillet sans doute, un monologue visuel;

1. Samuel BECKETT : *Molloy*, p. 9, Éd. de Minuit, 1951.
2. Samuel BECKETT : *Comment c'est*, p. 9, Éd. de Minuit, 1961.

comme, par exemple, dans *L'Herbe* de Claude Simon, celui de ces deux personnages dans le parc d'un hôtel : « *tous les deux cachés dans l'épaisse et verte obscurité sous les branches immobiles, l'auto cachée plus loin derrière les grands arbres un peu après le tournant (mais impossible de se cacher quand ils traversaient le petit jardin ratissé, foulant les graviers entre les tables ripolinées de blanc, les parasols rouges et blancs repliés, les deux petites filles (...) dans les fauteuils, leurs coudes nus sur les accoudoirs trop hauts pour elles, balançant leurs jambes pendantes, les regardant passer, les suivant de leurs yeux fourbes, leur mère ne levant pas les yeux, elle, de son tricot, ce qui était une façon pire, plus gênante encore de les regarder, et quelquefois, quand ils redescendaient, cinq ou six de ces types à gros ventre déjà congestionnés avant de commencer à manger la terrine, les truites, la spécialité de l'hôtel* [1] ».

C'est la présence obsédante du monde extérieur qui s'impose, tout proche, grouillant, morne, sans signification visible : des faits sans intérêt, enregistrés par une conscience, comme chez Michel Butor, dans ces moments des trente-six heures du trajet Paris-Rome où le compartiment de chemin de fer vit sa vie lente d'ébrouements humains : « *Un homme, une femme, une autre femme dont vous n'apercevez que le dos sortent de leurs compartiments et s'éloignent; une manche d'imperméable balaie le carreau auquel votre tempe s'appuie toujours, puis un volumineux sac à main de nylon noir avec un bouton de galalithe y frappe quelques coups.*

« *La température s'est sensiblement élevée et vous*

1. Claude Simon : *L'Herbe*, p. 16, Éd. de Minuit, 1958.

sentez chauffer cet étroit tapis de métal entre les ban-
quettes, décoré de rayures en losanges. Votre voisin, le
dernier venu, le moins riche manifestement de tous les
occupants de ce compartiment, replie l'hebdomadaire
qu'il lisait, hésite un instant, ne sachant pas où le
poser, se lève, le case sur l'étagère où il s'épanouit
comme un éventail, enlève son imperméable [1]. »

Mais ici encore, les mouvements confus du monde
— un monde insignifiant et banal — sont rapportés
à une conscience unique. Dans d'autres textes, ce
sera dans des consciences multiples, en une sorte
d'unanimisme, que s'enregistrent et se produisent
les faits, toujours aussi minutieusement décrits, mais
sans que l'on sache par qui... *Le Palace*, de Claude
Simon, a pour théâtre un hôtel rococo de Barcelone
où campent en 1936 les combattants de la guerre
civile espagnole. Les personnages sont là, gravés
jusqu'au moindre détail de leurs boutons de guêtres,
imperturbablement enregistrés et photographiés,
dans une forme de réalité qui est un présent éternel
et neutre saisi par très lente caméra : « *le maître*
d'école toujours immobile, l'Américain maintenant de
nouveau assis d'une fesse sur la table de réfectoire,
buvant de nouveau un coup au goulot, puis disant
encore une fois en direction du maître d'école : « Le
« *gouvernement s'en occupe, non ?* »

« *Et le maître d'école : « Si. Le gouvernement* », *sa*
voix parfaitement neutre (...), appliquée (et à ce
moment l'étudiant se dit qu'il avait plutôt l'air d'un
paysan que d'un maître d'école — ou alors un de ces
instituteurs de campagne, ou bien un maire de village
(ou plutôt secrétaire de mairie), ou simplement appa-

1. Michel BUTOR : *La Modification*, p. 19, Éd. de Minuit, 1957.

riteur?), les cheveux drus, grisonnants, (...), le col de
sa chemise veuf de cravate mais soigneusement bou-
tonné, la veste boutonnée aussi d'un de ces complets en
tissu de mauvaise qualité, au dessin brouillé et laid
qu'il n'avait certainement jamais regardé, même pas
le jour où il l'avait acheté (seulement l'étiquette, le
prix), ses pieds ramenés en arrière sous sa chaise,
chaussés d'espadrilles au nez usé, épaté (la corde ébou-
riffée, formant, au bout, comme un tampon écrasé, d'un
gris jaunâtre, les semelles (...) légèrement déjetées sur
le côté, sans doute par un défaut d'aplomb lorsqu'il se
tenait debout et qui le faisait marcher un peu sur l'em-
peigne de toile) assis en avant sur le bord de sa chaise,
derrière la table où se trouvait la machine à écrire
repoussée sur le côté, les deux coudes posés sur la table,
les mains jointes [1]. »

Pour varier les effets, le susurrement d'une
conscience et les bruits du monde extérieur se mêlent,
par exemple dans *Le Dîner en ville* (1959) de Claude
Mauriac : conversations futiles autour d'une table,
tintement de vaisselle, discussion sur un sujet aussi
lointain que l'humour de Tristan Bernard, et, au
milieu de tout cela, la voix intérieure de l'une des
convives, qui savoure son champagne et qui rêvasse;
un cocktail d'impressions fugitives traversées de
répliques et de poses mondaines : « *Une trouvaille!*
Mais justement, puisque nous en sommes aux mots
de Tristan Bernard sur le théâtre, vous connaissez sa
définition de l'entracte...

« — Nous n'y échapperons pas. Sahara, c'est d'un
comique. Merveilleux. Le champagne enfin. Enfin
mon tour. J'aurais dû attendre, ne pas m'emparer

---

1. Claude Simon : *Le Palace*, pp. 37-38, Éd. de Minuit, 1962.

si avidement de mon verre. Ce pétillement, ce pico-
tement glacés, cette sécheresse râpeuse et douce, si
nette, si fraîche...

« ... *Il disait aussi en montrant la salle toujours
vide :* « *Ce qu'il y a de mieux dans mon théâtre, ce*
« *sont les dégagements.* » *Mais ce n'est pas assez drôle
pour être répété ici. En revanche...*

« — ... *Et cet autre mot de Tristan, toujours à propos
de son théâtre, vous le connaissez :* « *Trois coups. Un*
« *par spectateur.* »

« ... Loge d'honneur au milieu du théâtre. Rebord
de velours rouge. Tu salues, Mariette, le public qui
s'est dressé à ton entrée. Tous ces visages levés vers
toi. Tous ces vivats montant à toi. Demain à l'aube,
tu prends l'avion pour Hollywood et ce soir Paris
te dit au revoir avec tout son amour et tu envoies
des baisers à Paris. Ta robe est d'un rose léger aux
reflets moirés. Avec des ruchers. Pour une Cana-
dienne française, la route d'Hollywood passe par
Paris [1]. »

Juxtaposer le monde objectif, neutre, massif, et
une sensation ultra-personnelle, c'était depuis Joyce
l'ambition de la stéréoscopie romanesque. Il faut
que d'une part les « choses » soient là, extérieures,
indiscutables, présentes, et que, d'autre part, au
milieu d'elles flotte une conscience égarée, imper-
ceptible, inquiète. Telle était la dialectique que
Sartre avait pressentie dans *La Nausée;* mais il
en avait fait une ontologie au lieu d'en faire une
esthétique. Il l'avait exprimée en termes philosophiques, alors que Joyce l'utilisait en termes lyriques,
Virginia Woolf en termes psychologiques, et alors

---

1. Claude MAURIAC : *Le Dîner en ville,* p. 17, Éd. Albin Michel.

que Robbe-Grillet en fera une ingénieuse magie
optique.

Si le roman n'est plus « vu » et raconté par un
auteur s'adressant à un lecteur, il n'y reste en effet
que deux éléments : les choses et la conscience qui
les rencontre, c'est-à-dire l'extrême objectivité ou
l'extrême subjectivité. Entre ces deux modes de
vision en apparence opposés, le romancier avait
tendance à opter et, par suite, à se limiter par ce
choix. Robbe-Grillet ne choisit pas, ce qui permet-
tra de voir dans ses romans aussi bien une objectivité absolue qu'une subjectivité totale.

Dès son premier livre, *Les Gommes*, en 1953,
apparaît cette tendance « objectale » qui a pu faire
voir en lui un romancier de la présence des « choses ».
Ce serait l'exemple, déjà bien souvent cité, du
fameux quartier de tomate : un homme assis devant
l'assiette de son repas, et, dans cette assiette, un
« objet » type, étranger, saugrenu, décrit pour lui-
même et pour lui seul, pour la fascination qu'exerce
sa présence objective : « *Après avoir opéré de la
même façon pour une tranche du même pain, garni
cette fois de fromage, et enfin pour un verre de bière,
il commence à couper son repas en petits cubes.*

« *Un quartier de tomate en vérité sans défaut, découpé
à la machine dans un fruit d'une symétrie parfaite.*

« *La chair périphérique, compacte et homogène, d'un
beau rouge de chimie, est régulièrement épaisse entre
une bande de peau luisante et la loge où sont rangés
les pépins, jaunes, bien calibrés, maintenus en place
par une mince couche de gelée verdâtre le long d'un
renflement du cœur. Celui-ci, d'un rose atténué légèrement granuleux, débute, du côté de la dépression
inférieure, par un faisceau de veines blanches, dont*

*l'une se prolonge jusque vers les pépins — d'une
façon peut-être un peu incertaine.*

« *Tout en haut, un accident à peine visible s'est
produit : un coin de pelure, décollé de la chair sur
un millimètre ou deux, se soulève imperceptiblement* [1]. »

L'application est visible, à donner une description neutre, froide, pédante, dans un style qui serait
celui d'un botaniste (« *la chair périphérique* »), avec
des précisions superflues sur ce « *renflement du cœur* »
de la tomate qui, « *d'un rose atténué légèrement granuleux, débute, du côté de la dépression inférieure,
par un faisceau de veines blanches...* ». Ce pourraient
être les notations d'un peintre; mais avec le pédantisme d'un agrégé de sciences naturelles (« *la dépression inférieure* »).

Cette *sensation* du quartier de tomate est riche,
complète, obsédante. Elle appartient sans doute au
héros du roman, Wallas, un policier venu faire une
enquête sur un crime dont il sera finalement le
coupable. Mais elle n'est pas exprimée dans le langage de Wallas, dans le style de son monologue
intérieur. Wallas n'est pas homme à parler, à se
parler, à propos d'un quartier de tomate, de « *renflement du cœur* » ni de « *dépression inférieure* ». L'auteur, c'est-à-dire Robbe-Grillet, utilise une impression de son personnage pour la traduire dans son
langage à lui. Joyce en faisait autant...

C'est ainsi que Robbe-Grillet trouve non pas la
juste mesure, mais le trucage nécessaire pour donner l'impression d'un roman à la fois objectif et
subjectif. Dans tel autre passage du même roman,
un autre personnage — un vulgaire « tueur » — vit

---

1. Alain Robbe-Grillet : *Les Gommes*, p. 161, Éd. de Minuit.

devant nous dans le monologue intérieur de l'assassin affolé et tenté de revenir sur les lieux de son
crime : « *Il reste encore à savoir si...*

« *Retourner sans attendre. La vieille femme sourde
est seule à présent. Remonter là-haut, et faire l'expérience soi-même. La pièce étant dans l'obscurité, voir
à quel moment exactement la main non prévenue
allume.*

« *Un autre, à sa place... Non prévenue. Sa main
à lui.*

« *L'assassin toujours retourne...*

« *Et si Bona l'apprend? Il ne devrait pas rester
planté là non plus! Bona. Bona. Bona...* Garinati
s'est redressé. Il s'engage sur le pont.

« *On dirait qu'il va neiger.*

« Un autre à sa place, pensant le poids de chacun
de ses pas, viendrait, lucide et libre, accomplir son
œuvre d'inéluctable justice.

« *Le cube de lave grise.*

« *Le timbre avertisseur débranché.*

« *La rue qui sent la soupe aux choux.*

« *Les chemins boueux qui se perdent, très loin,
dans la tôle rouillée* [1]. »

Qui parle, qui sent, qui s'exprime, dans ces divers
passages d'un roman énigmatique? A chaque phrase
que nous lisons, nous nous demandons si elle traduit
de manière immédiate les pensées intérieures de
Wallas, de Garinati, ou si elle est reprise à ces personnages par Robbe-Grillet.

C'est dans le jeu entre subjectif et objectif que
Robbe-Grillet a acquis sa maîtrise. Son art consiste
à donner parfois l'impression d'un roman fondé sur

---

1. Alain ROBBE-GRILLET : *Les Gommes*, p. 41.

la simple existence des *objets*, présentés de façon neutre et impersonnelle, sans intervention d'un narrateur ni des acteurs du roman : « *Sur le bois verni de la table la poussière a marqué l'emplacement occupé pendant quelque temps — pendant quelques heures, quelques jours, minutes, semaines — par de menus objets, déplacés depuis, dont la base s'inscrit avec netteté pour quelque temps encore, un rond, un carré, un rectangle, d'autres formes moins simples, certaines se chevauchant en partie, estompées déjà, ou à demi effacées comme par un coup de chiffon* [1]. »

La description est appliquée et insistante, donnant une impression volontaire d'inutilité romanesque, s'attachant de manière presque pédante à dessiner, jusque dans les moindres détails, un objet, un paysage, un effet de neige par exemple : « *Dehors il neige. Le vent chasse sur l'asphalte sombre du trottoir les fins cristaux secs, qui se déposent après chaque rafale en lignes blanches, parallèles, fourches, spirales, disloquées aussitôt, reprises aussitôt dans les tourbillons chassés au ras du sol, puis figés de nouveau, recomposant de nouvelles spirales, volutes, ondulations fourchues, arabesques mouvantes aussitôt disloquées. On marche en courbant un peu plus la tête, en appliquant davantage sur le front la main qui protège les yeux, laissant tout juste apercevoir quelques centimètres de sol devant les pieds, quelques centimètres de grisaille où les pieds l'un après l'autre apparaissent, et se retirent en arrière, l'un après l'autre alternativement* [2]. »

Ainsi le lecteur doit se trouver fasciné par ces images burinées et si précises du monde, où il ne serait même pas nécessaire qu'apparaisse un acteur

1. Alain ROBBE-GRILLET : *Dans le labyrinthe*, p. 10, Éd. de Minuit.
2. *Ibid.*, p. 11.

humain. La prose de Robbe-Grillet semblerait être
le contraire du monologue intérieur : la définition
d'un monde objectif où l'homme n'est qu'un objet
parmi d'autres.

Mais son art ne se résume pas à cette vision
apparemment « objectale ». En fait, ces tableaux si
précis ne sont pas le surgissement d'une sorte de
monde neutre étranger à l'homme; si l'on essaie de
déterminer par qui ils sont vus, sentis et décrits,
on trouvera encore un narrateur et une conscience
humaine derrière eux. Un jeu subtil s'institue entre
les pages où l'on pourrait croire que le monde extérieur est décrit pour lui-même, et les pages où l'on
sent que cet univers précis, obsédant et étranger,
est pourtant reflété dans une conscience. C'est le
cas de *La Jalousie* : dans la brousse d'un pays
africain, une maison et une véranda, au milieu d'une
plantation. Sur un décor minutieux et obsessif de
vie coloniale, on voit la femme du planteur accueillir
à dîner un voisin de brousse, se rendre parfois avec
lui sans son mari, à la ville la plus proche. Et il
convient en effet de dire « *on* » voit. Car l'histoire
n'est « racontée » par personne, elle semble être la
transcription anonyme des allées et venues, ou des
gestes, de la femme du planteur et du voisin; mais
elle est insensiblement vue et sentie par le mari, le
planteur, le « jaloux ». Jamais ce personnage du
roman n'est nommé, par son nom, son prénom, ou
même simplement par un « il ». Jamais non plus il
ne dit « je ». Toutes les phrases du livre sont en
somme écrites par lui, tout ce qui se passe est vu
à travers sa conscience (la conscience d'un homme
exacerbé par une jalousie peut-être imaginaire),
mais cet homme n'apparaît jamais, n'est jamais

nommé, ne prend jamais la parole. Il devient sensible et présent, uniquement parce que les faits sont présentés sous son angle de vision, sans qu'il ait besoin de se nommer, de se décrire, de se mettre en scène.

N'est-ce pas ainsi que nous vivons intérieurement, au niveau affectif des impulsions? Nous ne disons jamais « je » qu'en prenant la parole en public, ou en nous *parlant* à nous-même. L'invisible protagoniste de *La Jalousie* ne parle pas et ne se parle pas, mais tout ce qui se passe autour de lui est enregistré et senti, par lui parfois réimaginé. En ce sens, le roman de Robbe-Grillet reste parfaitement « réaliste », puisqu'il se cantonne dans cette réalité qu'est la conscience affective et impulsionnelle.

Captivant ou monotone, selon l'humeur du lecteur, peut être cet « effet » très difficile que Robbe-Grillet cherche à créer : la « réalité » telle qu'elle est vécue par l'homme à ce niveau si intime qu'il est conscience positionnelle sans que l'on ait besoin de la définir par un pronom personnel, par un « je ». La matière romanesque se trouve ainsi soumise à deux éclairages contrastés : tantôt violemment ressentie dans une subjectivité perçue comme réalité anonyme, tantôt violemment ressentie dans une subjectivité.

Le résultat en est un roman abstrus, d'apparence ésotérique, fort concret cependant. Il s'est entièrement détaché de l'art narratif. Il ne se fonde pas non plus sur le ronron oral du monologue intérieur. Monologue certes, mais monologue visuel et apparemment anonyme il détache crûment des pans hétérogènes de la réalité, éclairés par la lumière — et même par l'angoisse — d'une conscience souvent innommée : il en est de même dans un film comme *L'Année dernière à Marienbad*.

Cet art n'est ni réaliste ni subjectif. Comme celui de Proust, comme celui de Joyce, il est recherche de certains effets de « relief » : relief temporel chez Proust, relief lyrique chez Joyce, relief visuel chez Robbe-Grillet. Si déroutantes que puissent paraître certaines séquences du « nouveau roman », elles prolongent cependant l'art proustien, mais dans un style plus brutal d'où ont disparu les élégances, les précautions, et le ton disert.

XV

LE ROMAN COMME FAIT DE LANGAGE

DE Gide à Butor-Grillet, on avait mis en accusation le narrateur complaisant. On avait modi-
fié l'optique, c'est-à-dire la présentation de l'œuvre
romanesque. Mais plaider contre la tradition-conven-
tion du récit bien mené ne conduisait souvent qu'à
instaurer de nouvelles conventions, et, en somme,
des artifices encore.

A la machinerie du roman traditionnel de Zola ou
de Bourget, la génération de 1954 avait substitué
d'autres mécanismes, plus insolites, comme dans
Les Gommes ou dans *La Modification* : « *L'écrivain
est comme un artisan qui fabriquerait sérieusement un
objet compliqué sans savoir selon quel modèle ni à
quel usage, analogue à l'homéostat d'Ashby* [1]. » C'était
bouleverser les habitudes acquises, et en prendre le
contrepied. Mais le roman restait fait de rouages
combinés par un auteur-ingénieur.

A partir de 1960, la première forme du « nouveau
roman » avait cessé d'exister. Le petit groupe que les
journalistes d'actualité réunissaient autour du pro-
moteur Robbe-Grillet s'était d'autant plus aisément

---

1. Roland BARTHES : *Essais critiques*, p. 139, Éd. du Seuil, 1964.

dissocié qu'il n'avait jamais existé que par coïnci-
dences et par publicité. Michel Butor s'affirma dans
une vocation d'artiste ou de critique d'art polyvalente (peinture, musique), Robbe-Grillet lui-même
montrait sa prédilection pour l'art cinématographique. Leurs disciples suivaient chacun sa voie.

A ce roman qui ne diffractait l'intrigue que pour
intriguer et dérouter le lecteur, tout en conservant
le souci de l'anecdote, se substitue lentement, entre
1960 et nos jours, une forme de vie romanesque plus
diffuse, car elle abandonne la péripétie et l'agence-
ment pour se proposer dans un état qui semblerait
informe. La revue *Tel Quel* favorisa cette métamorphose du papillon en chrysalide, avant que les
écrivains et les essayistes qu'elle réunissait n'aient
abouti à des dissensions qui amenèrent un éclate-
ment de cette tendance en multiples revues, en
multiples prises de parti. Sans doute y eut-il aussi
l'influence des Sciences humaines, de l'Ethnologie
de Claude Lévi-Strauss, ou d'un renouvellement de
la Linguistique dont les prédécesseurs sont aussi
bien Ferdinand de Saussure que Léo Spitzer.

Ce que l'on pourrait appeler le néo-nouveau-roman
constitue un procès en appel, ou, plutôt, une rupture
de procès : l'auteur-écrivain livre son dossier, abat
ses cartes, abandonne ses atouts. Au lieu d'écrire
un roman, il pose la question : « Comment écrire un
roman? » « *En s'enfermant dans le* comment écrire,
*l'écrivain finit par retrouver la question ouverte par
excellence : pourquoi le monde? Quel est le sens des
choses? En somme, c'est au moment même où le travail
de l'écrivain devient sa propre fin, qu'il retrouve un
caractère médiateur : l'écrivain conçoit la littérature
comme fin, le monde la lui renvoie comme moyen : et*

c'est dans cette déception *infinie, que l'écrivain retrouve le monde, un monde étrange d'ailleurs, puisque la littérature le représente comme une question, jamais,* en définitive, *comme une réponse* [1]. »

Cette tendance littéraire récuse toute forme de récit ou de vision « objective ». Il n'existe point une « réalité » (sociale, psychologique ou autre), dont l'expression littéraire, même subjective et déformante, serait le *reflet :* « *Le préjugé le plus tenace est, nous l'avons dit, celui qui définit le roman, une fois pour toutes, comme un reflet du monde ou de l'esprit — un miroir promené le long des routes ou autour du cerveau; un reflet, par conséquent, qui s'écrirait tout seul, de manière plus ou moins structurée, à travers un « tempérament », un ingénieur ou un visionnaire, et sous l'influence d'événements qui lui seraient extérieurs. Ce préjugé a beau être d'une naïveté dérisoire, il n'en demeure pas moins implanté avec la force inébranlable de l'illusion. Illusion d'une puissance telle que nous devons reconnaître en elle une sorte de loi très profonde portant sur le langage lui-même, la nécessité où nous serions pris de rester inconscients de ses opérations radicales pour n'en retenir jamais que la fiction superficielle* [2]. »

« *Illusion* », dit Philippe Sollers : un monde « réel » que pourrait dépeindre ou évoquer l'auteur est aussi inaccessible que les Essences platoniciennes : car, de toute façon, il est *vu,* interprété et déformé par l'écrivain, ou plutôt, par l'écriture, par le texte qui naît sous la plume de celui qui écrit.

On pourrait alors prendre comme « réel » le parti

---

1. Roland BARTHES : *Essais critiques*, p. 149.
2. Philippe SOLLERS : *Le Roman et l'expérience des limites,* dans *Tel Quel*, n° 25, p. 31, 1966.

pris de l'auteur, sa vision personnelle du monde, et estimer que l'œuvre littéraire ne peut être que subjective. Mais elle ne l'est pas entièrement : chaque écrivain est « en situation » (comme l'avait dit Jean-Paul Sartre), et s'il interprète ce qu'il voit à sa façon, il ne peut choisir cette matière que dans certaines limites qui sont celles de son expérience personnelle.

Rien n'est donc objectif, ni l'objet visé, ni la personnalité de celui qui le regarde et le décrit. En peinture, un bouquet de fleurs peint par Matisse n'est pas un *vrai* bouquet de fleurs (Matisse l'a transformé), et il n'est pas non plus Matisse en personne, car Matisse ne passait pas sa vie à contempler des bouquets de fleurs. Le tableau est donc un *intermédiaire* entre Henri Matisse, né en 1869, et des fleurs qu'il a cueillies en 1920.

Seul cet intermédiaire que constitue le tableau est *réel* et objectif : Matisse est mort, les fleurs sont fanées, le tableau est resté...

Ainsi la « réalité » ne serait pas un être regardant ni un objet regardé, mais ce qui leur sert de *médiation :* l'expression. En peinture, le tableau. En littérature, le texte et le langage. Peu importent alors la personnalité de l'auteur ou la nature du sujet. On accordera son attention à leur point de rencontre, qui est l'expression et l'écriture. Fondé sur ce brouillard et ce *smog* que crée le style, un roman devient un « espace intermédiaire » où lecteurs et personnages s'enfuient et se cachent, comme dans une féerie, sous les yeux du lecteur impotent, qui est alors obligé de quitter son fauteuil et de poursuivre les nymphes, les ombres et les fantômes. Il n'est donc pas de « livre », mais un exercice du langage et de l'invention. Un livre qui renvoie à un autre livre (réel, possible ou imaginaire), comme dans *La Bibliothèque* de Jorge-Luis Borgès. Ainsi s'explique (à la suite du *Quatuor d'Alexandrie* qui présentait le même aspect de labyrinthe à plusieurs fausses issues ou plusieurs fausses entrées), l'*Hexagramme* de Jean-Pierre Faye : six romans s'irradiant en hexagone, depuis *Entre les rues* (1958) jusqu'à *Les Troyens* (1970) : « *Entre* Les Troyens *et cinq autres livres se dessine un* hexagramme *mouvant : réseau de récits que l'on peut aborder par n'importe quelle entrée. Qui peut se lire « littéralement et dans tous les sens ». Et la ville des Troyens est ce lieu ironique de la tissure* [1]. » La réalité romanesque se réduit à un imaginaire point de rencontre qui n'appartient ni à l'écrivain ni à une réalité objective. C'est un *fait linguistique* autonome que le lecteur doit investir. En tête des *Troyens*, J.-P. Faye inscrit comme épigraphe : « *Vous en fuyant, et moi, en courant sur vos traces...* » Lire un roman n'est plus *assister* à une poursuite, mais l'effectuer soi-même. C'est le lecteur qui doit devenir chasseur.

*
* *

On voit que le néo-nouveau-roman refuse d'être un *découpage*, même incongru, d'une *réalité*, même imaginaire. Entre l'objet romanesque et l'œil qui le voit, toute distinction est abolie : aucune « distance » entre le romancier et le roman, aucun recul, aucune perspective, mais seulement un *fait :* un texte écrit par qui que ce soit, sur quoi que ce soit. Un *fait de langage*, sans « auteur », sans « sujet ».

1. Jean-Pierre FAYE : *Les Troyens*, Préface, Éd. du Seuil, 1970.

C'est ainsi que, dans un livre au titre à la fois ironique et significatif, *Drame*, Philippe Sollers ne choisit d'autre thème que l'écrivain devant le jeu de l'écriture : un romancier anonyme, qui regarde défiler les « objets » qu'il *pourrait* décrire, et qu'il laisse passer, qu'il rejette : « *Il pourrait évidemment résumer ou exagérer la situation : un homme, une ville, une femme — ce qui arrive, ce qui se fait —, procéder à une narration elliptique qui aurait l'avantage de profiter de mille détails concrets en même temps que d'éléments personnels. Il pourrait recourir à une fable commode : présentation spectaculaire sur fond de légende, digressions de plus en plus ambiguës, menées souterraines, démentis, détours... (C'est ainsi probablement qu'on écrit un livre. Mais il s'agit bien d'écrire un livre...) Ce n'est pas la fausse évidence des premières constatations, ni une invention privilégiée qui peut maintenir la question à ses yeux. Ce qu'il faut défendre : une sorte de netteté exubérante, maintenant, tout près, gravitant sur et sous la page, tournant avec sa face nocturne à l'intérieur du mouvement qui le fait parler, l'anime, l'irrigue, lui permet de respirer, le double et conduit sa main. Plus vite. On ne choisit pas. On n'arrange rien. Opération chimique, plutôt : décoller, isoler... Problème : comment faire passer ici un immeuble de vingt étages et par la même occasion une grande apparition rouge vif et encore un train lancé dans la plaine et ce paysage à rivière suspendu par la main d'un peintre et la multitude des livres tout à coup et son visage effrayé et les couloirs du sommeil et l'oubli crispé à chaque moment — conscience effacée, noyée — et le geste qui trace et dégage à mesure cette violence libre éclairant rapidement le trajet?* »

Ici, les objets, les décors, les personnages ne s'imposent pas. Ils glissent, ils échappent à toute prise. Le romancier ne s'impose pas non plus, car il ne sait ce qu'il veut, ni ce qu'il peut : sa présence au monde ne pourrait se manifester que par un langage, par une page qu'il hésite à écrire. « *Comment être là? Comment accepter l'aventure? Arrêté, il n'insiste pas, il attend. Sentant fuir et se dissoudre la véritable histoire, le drame implicite qu'il était sur le point d'esquisser, qui déjà s'édifiait et se chantait imperceptiblement en lui par grandes zones transparentes, en marchant le long des quais, le soir, sous le ciel rouge et noir, dans le désordre et le bruit et la poussière chaude, l'odeur d'essence brûlée occupant les rues. Cependant...* »

Il écrit :

« *Parvenu à ce point de sommeil et de nuit, je me quitte et me traverse vers le bas, entraîné dans une dissolution de plus en plus ample... Bientôt l'envie et la volonté de disparaître gagneront le dormeur inévitable que je suis devenu. A ce moment, il semble préférable de pousser plus loin la disparition au lieu de tenter le retour : jour lointain, incertain, où l'inexplicable poids individuel attend d'accabler celui qui se lèvera.* »

Sollers exprime bien ici la *solitude* du romancier, qui ne croit ni en lui-même, ni dans les images ou les objets romanesques qu'il pourrait accepter ou inventer. Il se sent « sans cesse à l'extérieur, renvoyé, rejeté » et en ce sens il rejoint curieusement le Jean-Paul Sartre des *Chemins de la liberté* : « *Je ne suis rien, je n'ai rien. Aussi inséparable du monde que la lumière, et pourtant exilé, comme la lumière, glissant à la surface des pierres et de l'eau, sans que*

*rien, jamais, ne m'accroche ou ne m'ensable. Dehors.
Dehors. Hors du monde, hors du passé, hors de moi-
même* [1]. » Les intentions sont différentes : chez
Sartre un charme existentiel qui pose des questions
ontologiques et morales, chez Sollers un charme du
langage qui pose les problèmes de la connaissance
et de l'expression — mais la parenté est visible
aussi : l'existentialisme est une phénoménologie, et
le structuralisme également.

Un néo-nouveau-roman exemplaire et caractéristique comme *Drame* expose la difficulté de la Parole,
qui réunirait la conscience et les choses. Mais, comme
Sartre l'avait déjà dit, il n'y a pas de conscience
sans Choses, ni de Choses sans conscience. Seule
réalité est donc la Parole ou, plutôt, la communication, même informulée, entre homme et Choses. Le
roman constitue précisément un effort de formulation. Entre homme et monde, il n'y a que deux relations : acte ou langage. L'écrivain est celui qui institue la relation du langage. Relation difficile, comme
chez la Parque de Valéry, « *car les mots déjà se
contractent et se relâchent en dessous, pertes du sens
(relief poreux, cheminement masqué), trahison du
discours où le silence devient trop compréhensif, où
une parole incessante commence à se boire elle-même
dans une répétition et un gaspillage vides, étouffés* [2] ».

*
* *

On pourrait croire qu'il s'agit d'une sorte de
retrait de l'écrivain, qui se réfugie, par goût, par

---

1. Jean-Paul SARTRE : *Le Sursis*, p. 286, Gallimard, 1945.
2. Philippe SOLLERS : *Drame*, p. 62, Éd. du Seuil, 1965. Les citations précédentes
de Philippe SOLLERS sont empruntées au même ouvrage, p. 60 à 62.

vocation et par esthétisme, dans sa propre sensibilité : « *Je m'enfermerai dans mon palais de solitude
avec l'ennui pour me tenir compagnie. Derrière des
vitres glacées, ma vie s'écoule, goutte à goutte, et je la
conserverai longtemps, longtemps* [1] », écrivait Marguerite Duras en 1944. C'était encore l'héritage de
l'impressionnisme anglais, celui de Virginia Woolf
par exemple : « *Je m'emplis l'esprit de tout ce que
contient une chambre ou un compartiment de chemin de
fer, comme on remplit un stylo en le trempant dans
un encrier* [2]. » Il ne s'agissait en somme que de libérer le romancier des thèmes objectifs, sociologiques
et psychologiques, pour lui permettre de livrer ses
sensations personnelles. En un sens, ce fut le cas de
Proust, et c'est par un génie ou par un hasard presque
involontaires que son œuvre dépasse ces intentions.

Le néo-nouveau-roman est plus systématique.
Il exclut les coquetteries impressionnistes, qui
consistent à évoquer une réalité objective à travers
les brumes d'une sensibilité hésitante et légèrement
narcissique. Nos contemporains sont plus austères
que la génération (anglaise en grande partie) de
1930 : si la matière du roman se fond dans la brume,
ils demandent que le narrateur y disparaisse aussi,
pour ne laisser que l'intermédiaire entre les deux :
le texte-langage. « *Les actuelles recherches romanesques* », dit Jean Ricardou, « *nous incitent, me
semble-t-il, à nommer, à définir, à localiser, puis à
récuser comme stérile une opinion sur laquelle se sont
fondées (...) maintes théories littéraires : le dogme de
l'expression* [3]. » Pour ce romancier et théoricien du

1. Marguerite Duras : *La Vie tranquille*, p. 170, Gallimard, 1944.
2. Virginia Woolf : *Les Vagues*, p. 63, Plon.
3. Jean Ricardou : *Expression et fonctionnement*, dans *Tel Quel*, n° 24, p. 42, 1966.

roman, le roman ne doit pas être « expression »
concoctée, définie à l'avance suivant certaines
conventions, il n'a ni sujet ni objet, il constitue une
réalité autonome, c'est-à-dire un *langage*, qui n'est
ni une création (d'un auteur déterminé) ni une
expression (d'une réalité objective), mais un « pro-
cessus de génération » qui se produit entre les deux :
un texte quasi anonyme sur un thème éventuellement arbitraire. L'œuvre écrite est une « production »,
et « *le concept de production élimine deux illusions
inverses : la création, l'expression. Seule une étrange
mystique se risque à assimiler la production d'un
texte à une prétendue création ex-nihilo; seul un dogme
romantique se risque à la réduire à l'expression d'une
substance antécédente. Avec la création, le départ n'est
rien; avec l'expression, le départ est tout. Avec la
création, l'invention est tout; avec l'expression, la
transformation doit se résoudre à rien*[1] »... Si l'on
traduit plus aisément le texte de cette communication savante (Colloque de Strasbourg en 1970), on
constatera que Jean Ricardou évacue le « thème »
ou le « sujet » d'une œuvre romanesque en refusant
également les procédés littéraires conscients et cal-
culés de l'auteur, pour ne tenir compte que d'une
étrange aventure : la naissance d'un texte, sans
responsabilité du romancier ni de ses personnages...
Combien de romanciers ont dit (François Mauriac
par exemple, ou Julien Green), que leurs personnages
leur échappaient. Ici, non seulement s'échappent les
personnages, mais aussi le sujet du roman, et le
romancier lui-même, avec sa sensibilité personnelle
et tout son attirail de procédés romanesques. C'est

---

1. Jean RICARDOU : *Esquisse d'une théorie des générateurs*, dans *Positions et
oppositions sur le roman contemporain*, p. 144, Éd. Klincksieck, 1971.

ainsi qu'en 1971, ayant suivi depuis 1942 les avatars et les modes, Dominique Rolin évoque, dans *Les Éclairs*, les rêveries confuses d'une femme qui revit sa vie dans une demi-insomnie — procédé bien connu — mais qui reconstitue vie et rêve et illusion dans cette nébuleuse romanesque où l'on ne sait si l'homme crée le monde ou si le monde sollicite l'homme : « *Le monde est capable de s'exprimer à travers moi qui n'ai jamais existé, n'existe pas, n'existerai jamais : sa parole est circulaire, profonde, et se meut avec lenteur. Je ne serai point aventureux de sa surface, née d'un frisson* [1]. »

Le texte se fait donc d'un hasard laborieux, pénible pour l'accouchée involontaire que constitue l'écrivain. Il présente un jeu d'images et de combinaisons stylistiques qui, plus qu'aux intentions conscientes, répondent à des systèmes linguistiques, mythiques, psychanalytiques ou ethnologiques. Pour toute cette école de romanciers, les Sciences humaines ont pris le pas sur l'Histoire d'une part, sur la singularité de l'individu d'autre part. On peut ainsi souligner « *la discordance secrète entre le mode d'expression et le sujet* », chercher dans le roman plus que la sensibilité de l'auteur ni même une réalité objective, les images de la tribu, subtilisées mais anonymes : « *Le lecteur est invité à retrouver, à reconstruire le système de relations qui articule ces figures instantanées* », dans « *un monde intermédiaire, flottant et stérile, le monde des symboles* [2]. » Il ne faut point s'étonner de voir apparaître cette théorie en 1971 :

---

1. Dominique ROLIN : *Les Éclairs*, Éd. Denoël, 1971.
2. Jean BELLEMIN-NOËL : *Milosz aux limites du poème*, dans *Poétiques*, n° 2, p. 211, Éd. du Seuil, 1970.

ce n'est qu'une interprétation de Milosz mais elle
semble ici singulièrement actuelle.

*
* *

L'œuvre romanesque ainsi conçue joue donc, sur
un plan plus positif, le même rôle qu'avait joué la
poésie sur un mode plus incantatoire. Bien loin de
vouloir « décrire » un fragment ou un accident de la
vie, elle se veut *création*. L'univers est créé par les
mots, et les mots sont suscités par l'univers, dans une
sorte de cycle presque cabalistique dont l'écrivain
est le centre... La « création » littéraire se confond
avec la Création ontologique, divine, cosmique ou
verbale comme chez Rimbaud, chez Milton, chez
Blake, chez Joyce. Rien de plus significatif en ce
sens que la « Prière d'insérer » de cette tentative
d'épopée intime et cosmique que Jean-Louis Baudry
publie, précisément, sous le titre *La « Création » : Ce
qu'on appelle désormais roman ou fiction ne peut que
s'inscrire dans une pratique signifiante délibérée, un
travail sur la langue et le texte qui aura pour objet,
en montrant la matérialité de ce travail, de mettre à
jour l'idéologie de ce qui fut nommé « littérature ».
D'où le titre donné à cet ouvrage et non seulement par
antiphrase : puisqu'il s'agissait de mettre à l'épreuve
de cette même pratique les textes mythiques de la
« Création ».*

Malgré le titre de « roman », le livre est une cos-
mogonie. Seulement, alors que, dans les cosmogo-
nies légendaires, les dieux et les hommes jouaient
chacun son jeu, il n'y a plus ici de dieux, mais seulement l'homme solitaire, enfermé dans sa conscience
agissante et parlante : « *Enveloppé et ne sortant pas*

de la lumière d'où tu es né, de la nuit qui t'a engen-
dré   il n'est pas de plus grande image que le ciel
et la terre   et le souffle, l'air, le vent, le désert et
les monuments et tous les produits de l'année et le
sol qui t'a porté semblent tomber à l'intérieur d'une
seule phrase continue que le jour et la nuit ponc-
tuent. (...) Il s'agit bien d'un rapport à ce qui ne peut
pas être vu, d'un dehors maintenu   et c'est bien
ton visage qui se tient derrière le rideau de ses yeux,
de ses gestes dérivant, de ses mouvements de feu et
d'eau   et c'est bien quelque chose de toujours pré-
sent et fuyant que tu dois retenir et en même temps
dépenser, que tu dois nourrir sans en être épuisé, que
tu dois accrocher. Produire et nourrir, mais ne pas
s'approprier; agir, mais n'en tirer aucune assurance;
faire croître, mais ne pas diriger   une seule phrase
continue dont la fin est pourtant prévue en ce point
de l'horizon où tu t'enfonces également [1]. »

Entièrement poétique tout en restant positif, un
texte de cette nature est le meilleur exemple d'une
littérature romanesque qui dépasse de bien loin
l'ancien « nouveau roman ». On croirait qu'il s'agit
d'une aventure onirique et d'un rêve brûlant. Entre
la conscience et la présence du monde, il n'y a plus
d'intermédiaires. Même si on ne l'apprécie qu'à
titre indicatif, un tel livre montre qu'en nos années
1970, nombre de jeunes écrivains tentent de créer
une nouvelle forme d'écriture. Le récit romanesque
est entièrement sacrifié, et une double aventure s'y
substitue : d'une part ce que l'on a appelé autrefois
« conscience » ou « subjectivité », et d'autre part la
présence d'un monde que cette conscience veut à la
fois créer et dominer. Dans *La « Création »*, Jean-Louis

1. Jean-Louis BAUDRY : *La « Création »*, p. 16, Éd. du Seuil, 1970.

Baudry ne livre pas seulement ses effusions intimes. C'est à partir d'elles, et à partir des éclairs diffus de sa conscience, qu'il consacre son œuvre non pas à une série d'anecdotes ou de chroniques, mais à une Histoire du monde et de l'homme, comme il le dit dans sa « Prière d'insérer ». Telle est, en style pédant, l'invasion des Sciences humaines dans le roman actuel : « *En partant du cycle des métamorphoses que la notion — ou le mythe — « d'année » tente de maîtriser, ce texte, par séquences courtes, discontinues, marqué de suspensions et de blancs, se développe, s'enveloppe sur une orbite qui pourrait être celle de toute verbalisation soumise au recommencement — sans fin décalé du temps. D'un côté les références à la gravitation (Newton), à ses lois, à son vide particulaire; de l'autre (mais simultanément) le champ mytho-cosmogonique des « grandes civilisations » déposés dans les hymnes « sacrés » : Sumer, Inde, Égypte, Chine. A l'intersection de ces deux plans, la narrativité « sans support » de la mécanique inconsciente (niveau du rêve) et de sa charge sexuelle de reproduction. Ce livre doit donc être lu dans un système de coordonnées anthropologiques et psychanalytiques. Il permet de cerner dans quelle nouvelle dimension notre langue est en train de muter.* » On pourrait dire beaucoup sur cette « mutation », qui survient précisément au moment où le roman, sous l'influence des « dramatiques » de l'O.R.T.F. et des collections populaires, était en train d'atteindre un plus large public. Mais peu importe que, hyper-intellectuels, cérébraux, professeurs, les nouveaux romanciers négligent la *mass media*. Il est mille et une voies dans le conte. Les plus affinés de nos contemporains ont pris la mille et unième.

*
* *

On aboutit donc à un faux roman où il n'y a pas d'intrigue, mais un affrontement ou un émerveillement entre l'homme et le monde. En donnant la primauté à cette communion difficile, le style romanesque ouvre aussi les voies d'un *lyrisme :* un texte libéré du récit, libéré de l'autobiographie des personnages, et qui se présente comme une sorte de poème : « *Par exemple ces troncs d'arbres qui soutiennent des façades entières sont à définir, ces petites places rongées de temps où l'air frémit sont à définir, surtout ces surplombs soudains sont à définir. Sans cela? Sans cela la honte vous chasse, et elle est chaque pavé, chaque porte, chaque passant rencontré. Tel malheur ne se peut soutenir. Mais il est au détour de l'heure un simple spectacle de pauvres choses de vie divine qui ravit qui s'attarde puis se démantèle. On revient tous les jours et on s'attarde et ça se démantèle et c'est merveilleux. Il s'agit de ces prodiges qui encrayent les trottoirs d'éternelles œuvres que la pluie vite efface. Mais ils n'attendent pas la pluie* [1] *!* »

L'art littéraire n'est plus un art, mais un travail de rongeur, qui ne peut assimiler, comme nourriture, que ce que laissent passer les mots, dans cette richesse et cette plénitude qui sont la communication de l'homme et du monde : « *Bientôt déjà, j'y reviendrai. Intégrer lentement (descendre plus profond, jeu d'enfant). A force d'élaguer. Raboter (dissoudre, évider, limer patiemment, miner)*

   puis, l'inutile éliminé, que reste-t-il? Ce que, faute

_____

1. Jean-Pierre GAXIE : *Graffites*, p. 27, Éd. du Seuil, 1970.

de mieux, nous nommerions, à la légère, rien. Les mots futiles tus, je saurais peut-être parler, je l'entrevois, mais c'est alors qu'enfin je me tairai vraiment. Aussi, tambour battant, tant qu'il est temps, me démener, m'époumoner.

Que nous resterait-il? Glossaires incomplets. Nomenclatures décharnées. Définitions douteuses erronées de notions inutiles et dépassées. Figures ou linéaments. Conjonctions et copules, ponctuations [1]. »

Aussi bien, cette forme d'expression parvient au délire contrôlé, et l'on apprécie, chez Jean-Claude HÉMERY, l'alliance d'un *hippie* et d'un Proust réanimé par Joyce : un garçon de vingt-cinq ans, vivant sans illusions esthétiques ni politiques, comme son prédécesseur Rimbaud, et livrant une sincérité simplifiée dans une vie pure et touffue à la fois. « *Ma mémoire est sans faille, ou le sera bientôt, lorsque j'aurai tout oublié. Je m'énumère sans passion, me récite, me mime imperturbablement. Désapprendre mes noms, perdre mes tics (et rire à gorge déployée).*

« *Mes ailes d'éléphant, ma patiente laideur de réverbère éteint sous la pluie, autant de lourdes, d'aveuglantes alluvions que je charrie pour mieux dissimuler l'or profond, l'or muet, l'or lubrique et fécal qui n'éclairera plus, moribonde lueur, que les globes vitreux de vos yeux morts.*

« *Pour moi, je dormirai, gluant, dans l'étreinte épuisée de cet or mat, dans les indicibles coulées, dans les sanglots, les râles hoquetants, dans le bouillonnement bientôt figé de vos derniers caillots.*

« *Pour moi, plus rien. Pour vous, rien jamais plus.*

1. Jean-Claude HÉMERY : *Anamorphoses*, p. 50, Éd. Denoël, 1970.

J'attendrai. Me tairai jusqu'au dernier silence s'il le faut [1]. »

Mais le roman aboutit presque ici au poème. Par un jeu de bascule, la complexité croissante de la création romanesque d'avant-garde s'annihile d'elle-même. Le nouveau-roman cérébral ne trouve sa résolution dans un néo-nouveau-roman qu'après la reconquête du lyrisme.

---

1. Jean-Claude HÉMERY : *Anamorphoses*, p. 51, Éd. Denoël, 1970.

CHRONOLOGIE SCHÉMATIQUE

Architecture du roman.

1885. Walter Pater : *Marius l'épicurien.*

Emploi du monologue intérieur.

1887. Édouard Dujardin : *Les Lauriers sont
   coupés.*
1891. M. Barrès : *Le Jardin de Bérénice.*
1895. A. Gide : *Paludes.*
1896. Marcel Schwob : *Le Livre de Monelle.*
1903. Henry James : *Les Ambassadeurs.*
1910. R. M. Rilke : *Les Cahiers de Malte Laurids Brigge.*
   1912. Kafka : *Le Terrier.*
1913-1922. M. Proust : *A la recherche du temps perdu.*
1914. M. de Unamuno : *Brouillard.*
1922. James Joyce : *Ulysse.*
   1922. James Joyce : *Ulysse.*
1925. A. Gide : *Les Faux-Monnayeurs.*
   1925. Virginia Woolf : *Mrs Dalloway.*
   1925. John Dos Passos : *Manhattan Transfer.*
1928. Aldous Huxley : *Contrepoint.*
   1929. William Faulkner : *Le Bruit et la fureur.*
1930-1932. Robert Musil : Première partie de *L'Homme sans
   qualités.*
   1930. W. Faulkner : *Tandis que j'agonise.*
   1930-1936. J. Dos Passos : *42ᵉ parallèle, 1919,
      La Grosse Galette.*
   1931. Virginia Woolf : *Les Vagues.*
1933. Traduction en français du *Procès* de Kafka.
1936. Aldous Huxley : *La Paix des profondeurs.*
   1938. Nathalie Sarraute : *Tropismes.*

1938. Samuel Beckett : *Murphy* (texte anglais).

1942. Albert Camus : *L'Étranger*.

1945. Jean-Paul Sartre : *Le Sursis*.

1947. Malcolm Lowry : *Au-dessous du volcan*.

1948. Nathalie Sarraute : *Portrait d'un inconnu*.

1951. Samuel Beckett : *Molloy*.

1953. A. Robbe-Grillet : *Les Gommes*.

1954. M. Butor : *Passage de Milan*.

1957. A. Robbe-Grillet : *La Jalousie*.

1957. M. Butor : *La Modification*.

1957-1960. Lawrence Durell : *Le Quatuor d'Alexandrie*.

1958. Claude Ollier : *La Mise en scène*.

1959. A. Robbe-Grillet : *Dans le labyrinthe*.

1959. Nathalie Sarraute : *Le Planétarium*.

1959. Claude Mauriac : *Le Dîner en ville*.

1960. Claude Simon : *La Route des Flandres*.

1961. Samuel Beckett : *Comment c'est*.

1961. Philippe Sollers : *Le Parc*.

1962. Claude Simon : *Le Palace*.

1964. Jean-Pierre Faye : *L'Écluse*.

1965. Robert Pinget : *Quelqu'un*.

1965. Philippe Sollers : *Drame*.

1966. Jean Thibaudeau : *Ouverture*.

1967. J.-M. G. Le Clézio : *Terra amata*.

1967. Alain Badiou : *Portulans*.

1968. Jean Thibaudeau : *Imaginez la nuit*.

1968. Maurice Roche : *Compact*.

1969. Claude Simon : *La Bataille de Pharsale*.

1970. Jean-Pierre Faye : *Les Troyens*.

1970. Jean-Louis Baudry : *La « Création »*.

1970. Roland Barthes : « *S / Z* ».

1970. J.-M. G. Le Clézio : *La Guerre*.

1970. Jean-Pierre Gaxie : *Graffites*.

1971. Dominique Rollin : *Les Éclairs*.

1971. Jean Ricardou : *Révolutions minuscules*.

TABLE DES MATIÈRES

ACHEVÉ D'IMPRIMER
— LE 15 JANVIER 1972 —
PAR L'IMPRIMERIE FLOCH
A MAYENNE (FRANCE)

(10308)

NUMÉRO D'ÉDITION : 4272
DÉPOT LÉGAL : 1er TRIMESTRE 1972

PRINTED IN FRANCE

22-202